REMERCIEMENTS

Le *Guide alimentaire anti-âge – Équilibre 60-20-20* a vu le jour grâce à la collaboration d'une équipe pluridisciplinaire à qui nous désirons accorder notre gratitude. Nous remercions spécialement l'initiateur de ce livre, le **Dr Jean-Claude Rodet**, spécialiste de réputation mondiale de la relation entre l'agriculture environnementale, l'alimentation et la santé. Détenteur de plusieurs doctorats dans ces domaines, il a su compiler et synthétiser l'ensemble des données nécessaires à cet ouvrage.

La direction de la rédaction a été confiée à **Mme Danielle Gosselin**, B. Sc. Biologie. Elle a su transformer des informations scientifiques en conseils clairs et pratiques.

Nous sommes très fiers de l'appui scientifique des docteurs **Antoine Goubert**, ORL, **André Lapierre**, cardiologue, **André Passebecq**, ex-chargé de cours en naturothérapie à la Faculté de médecine de l'Université Paris XIII, de M. le Professeur **Henri Pujol**, cancérologue et du **Dr Jean Seignalet**, immunologiste. Nous leur témoignons une vive reconnaissance.

Les commentaires constructifs de plusieurs personnes ont permis d'ajouter des précisions dans cet ouvrage. Un grand merci à **Mme Hélène Baribeau** M.Sc., diététiste-nutritionniste, à **Mme Christiane Gendron**, B. Sc. Éducation physique, à **Mme Renée Frappier**, auteure de guides sur l'alimentation saine et naturelle, à **Mme Béatrix Marik,** directrice de magazine.

Nous tenons également à remercier **Mme Cassandre Fournier**, **Mme Mona Hébert**, **Mme Lucie Pomerleau** et **Mme Anny Schneider**. Plusieurs services indispensables nous ont été rendus par **Mme Francine Fleury**, **M. Pierre Giroux**, **M. Richard Milon** et **M. Gino Salotti**. Nous leur exprimons notre appréciation sincère.

Directeur du projet,
André Lafrance

La publication de ce livre a été rendue possible grâce à une contribution du Groupe Yes I'm Fit !

N'hésitez pas à nous faire part de vos commentaires à :
www.yesimfit.com

FONDATION POUR L'AVANCEMENT DE LA RECHERCHE ANTI-ÂGE

L'objectif principal de la Fondation pour l'Avancement de la Recherche Anti-âge est de diffuser, dans un langage clair et facile d'application, les résultats des plus récentes recherches scientifiques dans tous les domaines de la santé.

Ce guide pourra être modifié au besoin selon les avancements de la science.

Prolonger la jeunesse

Les recherches sur la longévité forment la clé de voûte du *Guide alimentaire anti-âge,* issu du travail collectif d'un ensemble de chercheurs, nutritionnistes et médecins qui y ont transcrit leurs dernières découvertes.

Ensemble, ces spécialistes se sont donné comme mission de retarder notre horloge biologique, nos dégénérescences physiques et psychiques, et de faire évoluer le concept relativement récent d'anti-âge, centre des préoccupations du nouveau millénaire.

Gorgé de vitamines, minéraux et éléments essentiels au maintien d'une santé optimale, notre programme alimentaire vous assurera un degré de vitalité qui vous permettra d'envisager avec plaisir l'atteinte et le maintien de votre poids plaisir-santé. Des exemples de menus, une invitation au mouvement, même des conseils de soins pour la peau vous convaincront de l'importance d'investir dans votre bien le plus précieux, votre santé globale.

Inspirée du régime proposé par **Lindhlar** et pratiquée par **André Passebecq** en France depuis une cinquantaine d'années, l'approche 60-20-20 a convaincu des milliers de personnes en Europe. Ces gens ont dit que leur vitalité s'améliorait, que leur poids se normalisait et se stabilisait, que leur vie devenait plus active.

La Fondation pour l'Avancement de la Recherche Anti-âge

La santé passe d'abord

par notre assiette

Introduction du Dr Goubert

En France, pays mondialement connu pour sa fine cuisine, l'alimentation devient de plus en plus gage de santé et de forme. Il a fallu des siècles pour que le conseil d'Hippocrate « Que ton aliment soit ta première médecine. » soit enfin entendu par les chercheurs et scientifiques du monde médical. Tous se mobilisent maintenant pour préserver notre capital-santé. La médecine nouvelle ne se contente plus uniquement de soigner les malades, elle souhaite maintenir la santé.

Nourrir notre corps...

pour la santé

La cellule, unité vivante de base de notre corps, n'est satisfaite que par le meilleur des carburants. Nous ne saurons donc garder la forme qu'en puisant dans notre assiette les éléments essentiels indispensables au fonctionnement de nos mécanismes vitaux.

pour le plaisir

Finis les régimes de privation, les régimes minceur inefficaces ! Enfin, adoptons une cuisine plaisir, à la fois simple, naturelle et énergétique. Et nous vivrons le plus grand des plaisirs, celui de bénéficier d'une santé resplendissante pendant très longtemps.

Dr Antoine Goubert
Chargé de recherches sur les spirulines
Institut de cancérologie de Montpellier, France

La santé
action-prévention

Les trente dernières années furent marquées par d'importantes recherches sur le traitement du cancer. Depuis peu, on s'attarde davantage aux moyens de le prévenir. Saine alimentation, lutte contre l'alcoolisme, contre le tabagisme et l'abus d'exposition au soleil sont désormais inscrites au programme de « L'Europe contre le cancer ». Enfants, adolescents et adultes bien portants peuvent passer à une réelle action-prévention en adoptant un mode de vie sain.

Augmentez vos chances d'être épargné

Le message est répété depuis longtemps : « Bougez et mangez sainement ». Depuis peu, on associe ces habitudes à une diminution des risques de développer un cancer. Alors, pourquoi ne pas vous y mettre au plus tôt ?

Fruits et légumes en abondance

Produits céréaliers de grains entiers (non raffinés)

Matières grasses de qualité en quantité adéquate

Bougez, bougez !

Nous ne pouvons donc que souscrire au ***Guide alimentaire 60-20-20,*** orienté vers une santé globale.

Prof. Henri Pujol, cancérologue
Ancien directeur du Centre anticancéreux de Montpellier et
Président de la ligue nationale française contre le cancer

Deux régimes ancestraux
qui ont fait leurs preuves

Avant de vous présenter en détail le *Guide alimentaire 60-20-20*, voyons pourquoi il suit les grandes recommandations planétaires et s'inspire des divers guides alimentaires actuellement prônés aux quatre coins du monde.

Après avoir observé l'état de santé de plusieurs peuples, les scientifiques ont retenu les habitudes alimentaires de deux populations : les Japonais et les Méditerranéens.

Les Japonais possèdent encore la plus grande longévité au monde, mais, avec l'apparition du fast-food, on s'inquiète de la hausse de l'obésité, des cas de diabète, de maladies cardiovasculaires, etc.

Les Méditerranéens, en particulier les Crétois, ont toujours présenté une excellente santé. Remarquons que leur mode de vie inclut une activité physique quotidienne.

Le régime asiatique

La pyramide du **RÉGIME ASIATIQUE** reflète l'alimentation traditionnelle, c'est-à-dire avant l'apparition des aliments raffinés :

- beaucoup de produits céréaliers (riz, millet),
- des légumes frais en abondance, notamment les algues riches en calcium et autres minéraux,
- peu de protéines et de graisses animales, mais plutôt des légumineuses,
- les produits laitiers pratiquement inexistants,
- peu d'aliments frits, de pains, de pâtisseries,
- le sucre raffiné utilisé avec parcimonie,
- pas de boissons gazeuses ni de café, mais du thé vert.

Le régime méditerranéen traditionnel

Le **RÉGIME MÉDITERRANÉEN TRADITIONNEL** est également porteur de santé. Il offre plus de gras que le régime asiatique mais des lipides de grande qualité. Cette alimentation fournit tous les éléments nutritifs essentiels en bonne quantité, en particulier les antioxydants dont on reconnaît aujourd'hui le rôle important dans la prévention des maladies :

- place de choix aux produits céréaliers,
- abondance de fruits et légumes frais,
- très peu de viande rouge mais plutôt des légumineuses,
- de petites portions de volailles, poissons et fruits de mer,
- des corps gras naturels : huile d'olive extra-vierge, graines oléagineuses (noix, amandes, etc.),
- pas de lait ni de crème mais du yogourt et du fromage, surtout de chèvre,
- très peu de sucreries.

le régime asiatique

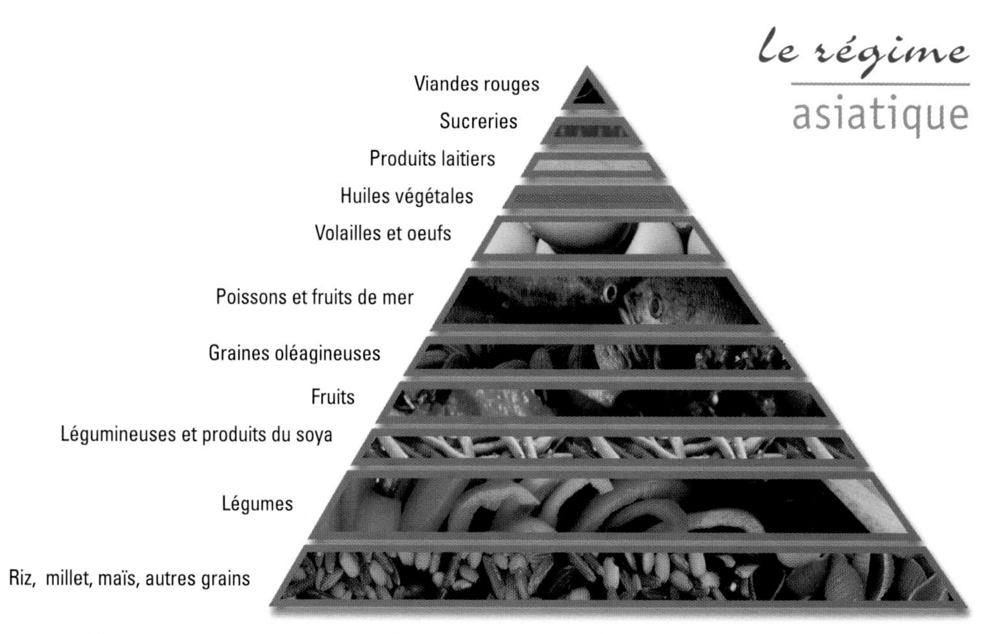

Alimentation très variée, dont les sources de protéines proviennent surtout de la mer. Consommation d'aliments frais et en saison. Petites portions présentées artistiquement.

le régime méditerranéen

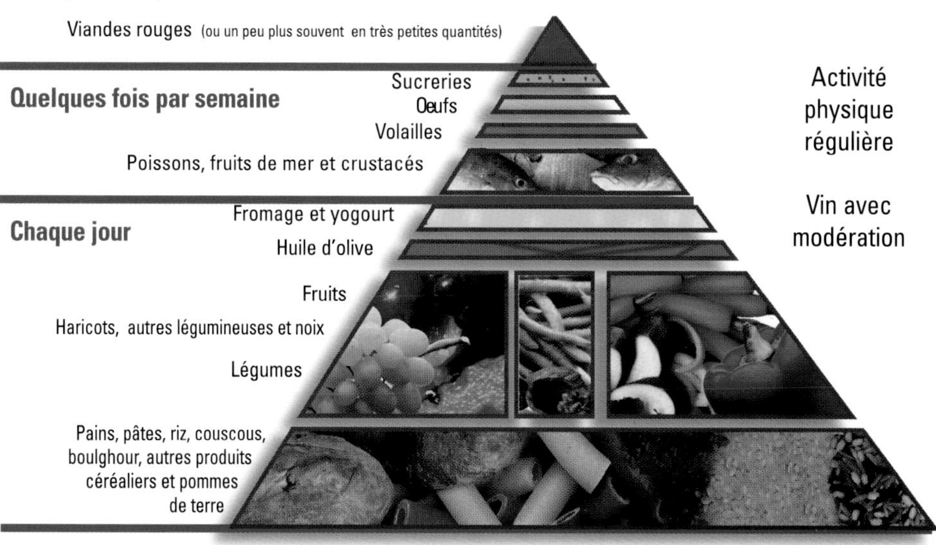

Les guides nord-américains
plus de végétaux

En 1992 et 1993, les gouvernements américain et canadien ont présenté une version nouvelle de leur guide alimentaire. Le Canada a opté pour une présentation sous forme d'arc-en-ciel et les États-Unis utilisent la forme pyramidale. Toutefois, leurs recommandations générales se ressemblent.

Le guide alimentaire américain

La **PYRAMIDE DU GUIDE ALIMENTAIRE AMÉRICAIN** présente 5 groupes d'aliments. On remarque que les produits végétaux représentent la base d'une alimentation saine. Les recommandations alimentaires pour les Américains sont les suivantes :

- **Ayez une alimentation variée.**
- **Maintenez votre poids-santé.**
- **Choisissez une alimentation à basse teneur en gras, gras saturés et cholestérol.**
- **Choisissez une alimentation riche en légumes, fruits et grains entiers.**
- **Utilisez les sucres avec modération.**
- **Utilisez le sel et le sodium avec modération.**
- **Si vous prenez des boissons alcooliques, faites-le avec modération.**

Le guide alimentaire canadien

Le **GUIDE ALIMENTAIRE CANADIEN** présente 4 groupes d'aliments. On a rassemblé les fruits et légumes dans un même groupe. Les recommandations nutritionnelles pour les Canadiens sont sensiblement les mêmes que pour les Américains. Toutefois, on précise de consommer la caféine avec modération.

Recommandations alimentaires pour la santé des Canadiens
(Santé et Bien-être social Canada)

1 • Agrémentez votre alimentation par la variété.
2 • Dans l'ensemble de votre alimentation, donnez la plus grande part aux céréales, pains et autres produits céréaliers ainsi qu'aux légumes et aux fruits.
3 • Optez pour des produits laitiers moins gras, des viandes plus maigres et des aliments préparés avec peu ou pas de matières grasses.
4 • Cherchez à atteindre et maintenez un poids-santé en étant régulièrement actif et en mangeant sainement.
5 • Lorsque vous consommez du sel, de l'alcool ou de la caféine, faites-le avec modération.

Dans les deux guides, les portions recommandées varient en tenant compte des besoins spécifiques des individus, depuis les jeunes enfants jusqu'aux personnes âgées en passant par les adolescents, les personnes sédentaires ou actives. L'activité physique augmente les besoins en énergie et permet de manger plus sans prendre de poids.

La pyramide américaine

Le guide alimentaire canadien

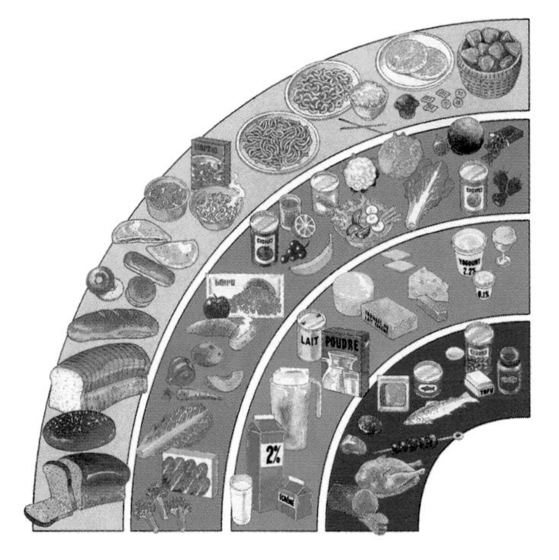

5 à 12 portions

5 à 10 portions

2 à 4 portions

2 à 3 portions

Produits céréaliers
Choisissez de préférence des produits à grains entiers ou enrichis.

Légumes et fruits
Choisissez plus souvent des légumes vert foncé ou orange et des fruits orange.

Produits laitiers
Choisissez de préférence des produits laitiers moins gras.

Viandes et substituts
Choisissez de préférence viandes, volailles et poissons plus maigres et des légumineuses.

Une revitalisation essentielle

Les Nord-Américains auraient grand intérêt à suivre les guides et les conseils qui leur sont proposés. Malheureusement, la façon dont ils se nourrissent actuellement fait des ravages sur leur santé. Ainsi, l'obésité est devenue un problème majeur qui entraîne un cortège de dérèglements et de maladies. L'excès de poids peut mener à l'hypertension, à une hausse du taux de cholestérol sanguin, au diabète de type II, à des complications osseuses et articulaires, à une insuffisance respiratoire, à un risque accru de plusieurs types de cancer... sans compter les répercussions psychologiques et sociales. Heureusement, plusieurs problèmes sont réversibles, et le plus tôt nous nous mettons à de saines habitudes, meilleurs sont les résultats!

Atteindre et maintenir son poids-santé, c'est bonifier sa vie, prévenir les maladies et augmenter sa longévité en grande forme.

Pour nous aider à **protéger notre capital-santé et maintenir un poids stable,** l'équipe scientifique de rédaction de ce guide se doit d'ouvrir la voie à une **approche globale,** facilement applicable, tenant compte de nos situations diverses, de nos us et coutumes, de notre orientation alimentaire, de notre dépense énergétique. Nous désirons aussi éviter le fastidieux calcul des calories. Notre concept global permet de trouver tous les éléments nutritifs vitaux (protéines, enzymes, glucides, lipides, vitamines et minéraux, fibres) sans excès ni carences.

Comprendre en un coup d'oeil

Le *Guide alimentaire 60-20-20* innove en mettant l'accent sur la **présentation visuelle de votre assiette.** Ainsi, pas de calculs savants ; en un clin d'oeil, vous voyez comment les quantités d'aliments doivent se répartir au cours de la journée.

S'appuyant sur les plus récentes conclusions en nutrition, le *Guide alimentaire 60-20-20* accorde une grande place aux légumes, aux fruits, mais aussi aux céréales à grains entiers et aux aliments riches en protéines. De plus, il privilégie les graines oléagineuses ainsi que leurs huiles comme sources de gras.

« *Il n'y a rien que les hommes aiment mieux conserver et qu'ils ménagent moins que leur santé.* » La Bruyère (1645-1696)

Finis les régimes

Le *Guide alimentaire 60-20-20* convient à chacun, que vous ayez du poids à perdre ou non. C'est un guide facile à mettre en application et qui vous assure une santé rayonnante. Si vous avez du poids à perdre ou à gagner, la haute valeur nutritive de ce modèle alimentaire vous mène au but visé sans difficulté ni carences alimentaires. De plus, une fois votre objectif atteint, vous pourrez conserver votre poids-santé sans peine.

- Le ***Guide alimentaire 60-20-20*** propose une alimentation où la **qualité et la fraîcheur des aliments** tiennent une grande place.
- L'équilibre offert à chaque repas vous assure une **énergie constante** pour faire face aux exigences de la vie moderne.
- Manger sain, c'est **manger à sa faim et avec plaisir.** Et quel plaisir que celui de vivre en pleine forme !
- De plus, constatez que le *Guide alimentaire 60-20-20* diminue le coût de votre panier de provisions tout en apportant variété et qualité à votre alimentation quotidienne.

Suivre
le Guide alimentaire 60-20-20,
c'est simple !

Retrouvons notre énergie
par l'équilibre dans notre assiette

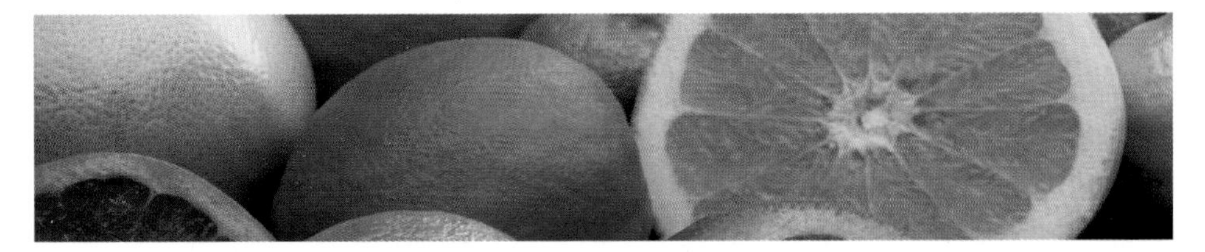

L'équilibre alimentaire

Cette notion, loin d'être inédite, doit être à nouveau expliquée. En effet, nous devons constater que nous sommes le plus souvent dans l'ignorance de nos besoins, que nous suivons des conseils souvent farfelus et que nous sommes malheureusement des consommateurs impulsifs. Nous voulons bien faire, mais comment équilibrer notre alimentation au cours des différentes étapes de la vie, des saisons, des moments de baisse d'énergie ou de maladies ? Comment choisir les aliments les plus valables parmi les milliers de produits qu'on retrouve dans les supermarchés ou les épiceries de notre quartier ?

Le *Guide 60-20-20* et l'équilibre alimentaire

- **Nutrition énergétique** : fournissant les fibres et nutriments nécessaires au maintien de la santé selon les besoins individuels.
- **Nutrition équilibrée et variée** : apportant les proportions adéquates d'aliments des différents groupes, ce qui permet d'éviter excès et carences.
- **Nutrition contrôlée** : générant le moins de calories possibles pour un maximum d'éléments nutritifs et facilitant le contrôle du poids.
- **Nutrition qualitative** : utilisant des aliments non dénaturés, comme le suggèrent les meilleures traditions millénaires et la science moderne.

L'équilibre 60-20-20

ses avantages

- une énergie vitale optimale,
- une alimentation équilibrée,
- des repas savoureux et faciles à cuisiner,
- la suppression de la sensation de faim entre les repas et des rages de sucre,
- une bonne digestion et une bonne élimination,
- le grand plaisir d'être en santé,
- la prévention des maladies dégénératives à long terme…

Le *Guide alimentaire 60-20-20* :

- application facile, sans calculs compliqués
- compréhension rapide,
- adaptation simple à tous les groupes d'âge,
- cuisine facile et agréable,
- alimentation de qualité,
- alimentation économique,
- alimentation écologique,

… pour le **PLAISIR ET LA SANTÉ !**

Le guide alimentaire 60-20-20, c'est nourrir la vie !

60-20-20

Le *Guide alimentaire 60-20-20* se base sur une répartition de 3 groupes d'aliments : les fruits et légumes, les protéines et les glucides. La formule 60-20-20* signifie que 60 % du poids total des aliments de la journée doit provenir des fruits et légumes, 20 % des protéines et 20 % des glucides. Bien que très simple, cette formule assure l'équilibre alimentaire de l'adulte sédentaire et bien portant vivant dans un climat tempéré. Des modifications seront apportées selon les étapes de la vie, l'activité physique ou professionnelle, les saisons, le climat et les lieux de résidence. Retenez que cette grille n'est pas rigide et doit être individualisée.

Répartition du poids total des aliments selon la formule 60-20-20

60 %	20 %	20 %
FRUITS ET LÉGUMES	**PROTÉINES**	**GLUCIDES**
Crus et cuits, incluant les germinations et les algues	Poissons Fruits de mer Viandes Volailles Œufs Produits laitiers Légumineuses et tofu	Céréales à grains entiers Pains Pâtes Pommes de terre Tubercules**
	Noix, graines oléagineuses, huiles	
Sources importantes de fibres, vitamines, minéraux, enzymes...	Sources importantes de protéines, lipides, vitamines, minéraux...	Sources importantes de glucides, fibres, vitamines, minéraux, lipides...

*Le concept originel de LINDLHAR est précisément 60-20-15-5. Pour en simplifier la mémorisation, nous avons adopté (tel qu'enseigné depuis 1955 par André Passebecq) la formule 60-20-20, regroupant les 5 % de lipides dans les groupes protéines et glucides.

**Tubercules : betteraves, patates douces, ignames, topinambours...

Les éléments nutritifs et leurs fonctions

Comme l'indique le tableau précédent, les aliments nous apportent divers éléments nutritifs, soit les protéines, les glucides (hydrates de carbone), les lipides, vitamines et minéraux. Leurs fonctions sont variées et complémentaires. Une alimentation équilibrée nous les apporte en quantités adéquates, sans excès ni carences. En suivant les recommandations d'un guide alimentaire, on s'assure d'atteindre l'équilibre sans avoir à compter la quantité exacte de telle ou telle vitamine, par exemple.

Principales fonctions des éléments nutritifs

Protéines Les enzymes, les anticorps et plusieurs hormones sont des protéines	Croissance, réparation, remplacement des cellules Métabolisme cellulaire (enzymes) Équilibre hydrique et acido-basique Défense immunitaire Certaines fonctions hormonales : métabolisme du glucose sanguin, etc. Coagulation du sang Vision
Glucides (hydrates de carbone) Plusieurs fibres alimentaires font partie de cette catégorie	Production d'énergie **Fibres alimentaires** : Prévention de la constipation Contrôle du taux de glucose sanguin Contrôle du taux de cholestérol sanguin Entretien d'une flore intestinale saine
Lipides Les phospholipides et le cholestérol font partie de cette catégorie	Production d'énergie Composition des membranes cellulaires **Acides gras essentiels :** Régulation de la formation des caillots sanguins, de la pression artérielle, de la réponse immunitaire, de la réaction inflammatoire, des lipides dont le cholestérol
Vitamines A, D, E, K, complexe B, C	Fonctions diverses selon les vitamines : Soutien de la peau, des muqueuses, des os, des yeux, etc. Maintien des fonctions nerveuses et digestives Production des globules rouges du sang Coagulation du sang Production d'énergie, etc.
Minéraux : Calcium, phosphore, potassium, soufre, chlore, magnésium **Oligo-éléments :** Fer, manganèse, cuivre, iode, zinc, fluor, chrome, sélénium, molybdène, etc.	Fonctions diverses selon les minéraux : Immunité, formation des os et des dents, transport de l'oxygène et du gaz carbonique, formation d'hormones, équilibre acido-basique, équilibre hydrique, contraction musculaire

La grille 60-20-20 expliquée

Comment gérer 1 à 2 kilogrammes de nourriture par jour

Les experts savent que nous consommons en moyenne de 1 à 2 kg (environ 2 à 4 livres) de nourriture par jour. En général, notre difficulté réside dans le choix des quantités d'aliments de chacun des groupes (légumes, viandes, etc.) et de bien les répartir au cours de la journée. Le tableau ci-dessous donne la répartition du poids de chacun des groupes d'aliments. Mais, pour vous simplifier la vie et éviter la pesée fastidieuse de chacun de vos aliments, nous avons établi des équivalences dans le tableau suivant :

Répartition d'environ 1500 grammes de nourriture par jour

60 %	20 %	20 %
FRUITS ET LÉGUMES germinations, algues Ou 900 g une moitié crus une moitié cuits	**PROTÉINES** Ou 300 g Poissons Fruits de mer Viandes Volailles Œufs Produits laitiers Légumineuses et tofu	**GLUCIDES** Ou 300 g Céréales à grains entiers Pains Pâtes Pommes de terre Tubercules
Noix, graines oléagineuses, huiles **40 à 80 grammes**		

Note : Le poids ou pourcentage des aliments suggérés ci-dessus peut être très variable suivant divers critères et doit donc être ajusté individuellement tel que présenté dans les pages qui suivent.

Portions et poids des aliments

Le *Guide alimentaire 60-20-20* se veut simple. Inutile de peser les aliments, car voici des équivalences. Évidemment, il n'est pas question de tenter de faire des calculs précis. Il s'agit plutôt de respecter les proportions d'aliments de chacune des catégories. Selon nos besoins individuels, on diminue les quantités de fruits et légumes, mais aussi celles des protéines et des glucides.

Répartition d'environ 1500 grammes d'aliments en portions par jour

FRUITS ET LÉGUMES	PROTÉINES	GLUCIDES
Fruits : 3 moyens **Légumes crus :** au moins 2 **Légumes cuits :** au moins 2	**Protéines animales :** 1 portion **Protéines végétales :** 1 portion **Produits laitiers :** 2 portions	**Céréales à grains entiers, pains, pâtes alimentaires, pommes de terre, tubercules :** 3 à 6 portions
	Noix, graines oléagineuses, huiles 40 à 80 grammes (voir le tableau suivant)	

Note : La notion de portion est définie à la page suivante.

La grille 60-20-20 détaillée

Pour affiner vos connaissances, voici le poids de quelques aliments courants. À noter que ce sont des poids moyens, étant donné la grande diversité de fruits, légumes, etc. Par exemple, une tranche de pain de blé de type commercial pèse environ 30 grammes, tandis qu'une tranche de pain complet au levain est nettement plus lourde avec ses 50 grammes. Si ce tableau vous semble trop complexe, retenez celui de la page précédente seulement.

Poids d'une portion des principaux aliments pour chaque catégorie

60 % 900 grammes	20 % 300 grammes	20 % 300 grammes
FRUITS : 3 • Un fruit moyen pèse environ de 100 à 130 grammes. • Jus de fruits : 125 ml = 125 g **Légumes crus :** au moins 2 **Légumes cuits :** au moins 2 • Une portion de verdures ou germinations équivaut à 250 ml ou environ 60 grammes. • Une portion de légumes tels carotte, céleri, tomate, etc. équivaut à 125 ml ou environ 100 grammes • Jus de légumes : 125 ml = 125 g	**PROTÉINES** • Poissons, viandes, volailles, fruits de mer : 100 g* • 2 œufs :100 g • Légumineuses cuites : 150 g = 200 ml • Tofu : 100 g • Boisson de soya : 250 ml = 250 g** • Lait : 250 ml = 250 g** • Yogourt/kéfir : 150 g** • Fromage : 40 à 50 g	**GLUCIDES** • Pain, 1 tranche : 30 à 50 g • Bagel : 60 g • Pâtes alimentaires cuites : 250 ml = 150 g • Céréales cuites (riz, millet, gruau d'avoine, etc.) : 125 ml = 100 g • Muffin : 50 g • Crêpe : 50 g • Pomme de terre avec pelure, moyenne : 120 g
	Noix, graines oléagineuses, huiles : 40-80 g • Graines de tournesol, citrouille : 60 ml = 50 g • 25 amandes : 30 g • Graines de sésame entières : 60 ml = 35 g • Beurre d'amande, de graines : 30 ml = 35 g • Huiles : 15 ml = 15 g	

* 100 grammes de protéines animales équivalent approximativement à la taille d'un jeu de cartes régulier.

** La boisson de soya, le lait, le kéfir et le yogourt renferment de grandes quantités d'eau. Il faut les considérer comme des portions de 50 grammes.

Les fruits et les légumes

Les fruits se prennent au petit déjeuner ou en collation. Il faut manger de deux à quatre fruits moyens par jour, pour un poids d'environ 300 à 400 grammes.

Les légumes apparaissent aux repas du midi et du soir; une partie est consommée en entrée, sous forme de salades ou de crudités, et l'autre comme légumes d'accompagnement. Les repas du midi et du soir doivent apporter de 100 à 150 g de légumes crus et environ 200 grammes de légumes cuits.

Les fruits et légumes entiers présentent un meilleur choix que les jus. Si vous prenez des jus, restez-en à 1 ou 2 portions par jour.

Les protéines animales et végétales

De préférence prise au repas du midi, une portion **de viande, volaille ou poisson** pèse environ **100 grammes.** Deux œufs remplacent ces produits. Il est recommandé en général de ne pas consommer plus de 4 à 7 œufs par semaine.

Une portion de produits laitiers, que ce soit du yogourt ou du kéfir, comme substitut au lait, plus difficile à digérer pour beaucoup d'adultes, pèse de 150 à 250 grammes. (Voir la note sous le tableau précédent.) Un morceau de fromage, de type cheddar, d'environ 8x2x2 cm pèse 50 grammes. Choisissez des produits laitiers à faible teneur en gras. Sauf pour les nourrissons, les laitages et fromages d'origine animale peuvent être remplacés avantageusement par la boisson de soya (original ou régulier) enrichie en vitamines et minéraux ainsi que par les fromages de soya.

précisions

Les légumineuses (tofu, fèves, pois, lentilles...) doivent faire beaucoup plus souvent partie de nos menus. Elles sont maigres et s'accompagnent de légumes. Un dessert sucré après un repas de légumineuses peut provoquer de la flatulence. Les céréales à grains entiers (pains, pâtes, farines) complètent la qualité de leurs protéines. On recommande environ 5 repas de légumineuses par semaine.

Les glucides

Il est très important de consommer des glucides à **index glycémique bas,** c'est-à-dire qui ne font pas monter rapidement le taux de glucose sanguin. Ce sont les céréales à grains entiers, riches en fibres, tels les pains et les pâtes alimentaires de farines intégrales, le riz brun, le sarrasin, le quinoa, etc. À noter que selon la grille 60-20-20, on doit consommer beaucoup plus de fruits et légumes que de glucides. Retenez également que certains légumes cuits, tout comme les céréales et les farines raffinées, possèdent un index glycémique élevé : pomme de terre, carotte, maïs, betterave, patate sucrée, etc.

Les lipides

Pour s'assurer d'un apport suffisant en **acides gras essentiels,** on doit consommer 15 à 30 ml (1 à 2 c. à s.) d'huile de première pression à froid (canola ou soya biologique) ou encore 45 à 60 ml de graines oléagineuses nature. Le lin (5 ml d'huile ou 10 ml de graines moulues) est la meilleure source d'acides gras oméga-3, un acide gras essentiel plutôt rare dans les aliments. L'huile d'olive, très populaire, n'en renferme pratiquement pas, mais offre des effets particulièrement bénéfiques sur le système circulatoire.

Le gras de la viande et des produits laitiers, étant riche en acides gras saturés, doit être réduit au minimum.

Les poissons sauvages des mers froides contiennent des quantités intéressantes d'acides gras oméga-3.

Variété, variété, variété...

Une règle d'or pour éviter la monotonie des repas et s'assurer d'obtenir tous les éléments nutritifs est de varier les aliments de chaque groupe, d'un repas à l'autre, d'un jour à l'autre. Par exemple, choisissez des céréales différentes au cours de la semaine : riz complet, orge, avoine, millet, sarrasin, maïs, blé, kamut, épeautre, amarante, teff, seigle, quinoa, etc. Introduisez graduellement de nouveaux aliments, soyez curieux !

Quelques précisions

Des collations ?

Sauf pour les fruits frais, les noix et graines oléagineuses, il est généralement préférable de ne pas manger entre les repas afin de ne pas solliciter inutilement le système digestif. En revanche, c'est le moment de satisfaire sa soif avec une eau de bonne qualité. Certaines infusions (tisanes) qui facilitent la digestion, telles que celles de thym, de verveine, de romarin ou d'anis... ont également leur place.

Des desserts ?

Oui, s'ils sont de bonne qualité, c'est-à-dire peu sucrés, composés de céréales complètes (ou farines), de graines oléagineuses, de fruits ou de yogourts. D'excellents livres de recettes de desserts presque sans sucre ou aliments raffinés sont disponibles dans la plupart des librairies.

Les biscuits, tartes et gâteaux de type commercial alourdissent la digestion et favorisent ballonnement, flatulence, maux de tête ou esprit endormi... Sucre blanc, farine blanche et graisses blanchies et hydrogénées sont des produits raffinés qui ne méritent pas vraiment le nom d'aliments. Désolé !

Les superaliments

Quelques produits alimentaires offrent une concentration remarquable en certains éléments nutritifs et autres substances protectrices. Ils peuvent avantageusement compléter les menus. Voici quelques exemples : algues marines, gelée royale, huiles d'onagre et de bourrache, lécithine de soya non blanchie, levure alimentaire, pollen d'abeille, spiruline.

La grille 60-20-20
de la théorie à la pratique

Rien de plus simple que des exemples de repas pour visualiser et intégrer une saine alimentation.
Chaque repas comprend une source de glucides (céréales, légumes), de protéines (animales ou végétales) et de lipides (graines oléagineuses, huiles). Tous les repas apportent une bonne quantité de fibres alimentaires, et bien sûr, des vitamines et minéraux en abondance.

Le petit déjeuner, ne pas le sauter

Au **lever,** buvez de **l'eau,** chaude ou fraîche selon le climat et la saison ou votre état thermique.
Les fruits frais se digèrent mieux s'ils sont mangés 10 à 15 minutes avant le repas ou encore seuls, en collation.
Le petit déjeuner sera plus ou moins consistant selon la température, vos activités, votre tempérament, etc.

Exemples d'un petit déjeuner		
	Fruits frais de saison	**Si désiré :** infusion ou succédané de café
AVEC	Céréales complètes : gruau d'avoine, müesli, crème de riz, d'orge, de millet, etc., avec fruits séchés ou non	
OU	Pain complet à varier : multigrain, seigle, etc.	
OU	Crêpes	
OU	Galettes de sarrasin	Ces aliments apportent de la **satiété.** Mangez lentement, mastiquez bien et mangez à votre faim. N'oubliez pas les protéines pour éviter les rages de sucre au cours de l'avant-midi.
AVEC	Beurre d'amande, de tournesol, de noisette, de sésame, de noix de macadamia, d'arachide naturel, etc.	
OU	Graines oléagineuses trempées dans l'eau toute la nuit	
AVEC	Un œuf à la coque ou poché*	
OU	Yogourt ou kéfir nature*	
OU	Fromage maigre*	
OU	Boisson de soya*	

*Ces aliments sont protéinés. Il faut s'assurer de prendre une portion de protéines le matin. Voir les menus dans les pages qui suivent.

Le repas du midi

Il doit être plus copieux que le repas du soir. Un repas de protéines animales par jour suffit. Il est généralement conseillé de le prendre le midi plutôt que le soir.

Exemples du repas du midi	
	Entrée de crudités au choix, 1, 2 ou 3 légumes Vinaigrette : huile d'olive extra-vierge, autres huiles de première pression à froid, ou un mélange de bonnes huiles avec jus de citron frais ou vinaigre de cidre, vinaigre balsamique, et assaisonnements au goût (ail, fines herbes, oignon, échalotes, moutarde, gingembre, etc.)
	Plat principal carné
	Poisson, gras ou maigre
OU	Viande
OU	Volaille
OU	Œufs
AVEC	Légumes cuits variés
	Plat principal végétarien
	Céréales complètes (riz, millet, etc.)
AVEC	Légumineuses
AVEC	Légumes cuits variés
	Dessert
	Graines oléagineuses (s'il n'y a pas eu d'œuf, viande ou poisson)
OU	Fromage blanc maigre
OU	Yogourt/kéfir
OU	Compote de fruits cuits
OU	Galette maison, muffin maison...
	Du vin ? Rouge de préférence, avec modération 100 ml pour madame et 150 ml pour monsieur, par repas **Tisanes au goût**

Le repas du soir

Un repas simple, plus léger que celui du midi, à prendre au moins 2 à 3 heures avant le coucher.

	Exemples du repas du soir
	Entrée : Fruit et/ou crudités et/ou salade avec vinaigrette. Choisissez des légumes différents du repas du midi.
	Plat principal, de préférence non carné
	Potage de légumes avec légumineuses et céréales entières (grains ou pâtes alimentaires)
OU	Céréales complètes + légumineuses + légumes
OU	Céréales complètes + légumes avec fromage, gratinés ou non
OU	Riz + tofu + légumes
OU	Œufs + légumes
OU	Pain + beurre de graines oléagineuses + légumes, crus ou cuits
OU	Crudités et fromage
	Dessert
	Laitages, si le plat principal n'en contient pas
OU	Graines oléagineuses
OU	Fruits cuits (pommes au four, etc.)
OU	Flan maison (lait, œufs, vanille, sucre complet, fécule de maïs)
	Tisanes au goût ou vin de qualité

Un repas léger permet de passer une nuit enchantée et d'avoir de l'appétit pour un solide petit déjeuner !

Le guide alimentaire 60-20-20

La qualité au menu

La qualité des aliments, voilà un facteur essentiel à la qualité de votre santé. Des aliments naturels, cuisinés simplement, donnent de l'énergie tout en assurant la satiété. Chacun veut manger à sa faim... sans engraisser, sans privation, sans désordres digestifs.

Fruits et légumes

Choisissez des **produits frais** en premier lieu. Faites cuire les légumes tout en leur gardant un peu de croquant. Les légumes surgelés s'avèrent aussi un bon choix. Ne les laissez jamais décongeler avant de les faire cuire. Achetez de préférence des produits saisonniers et **variez.** Si les produits de **culture biologique** sont disponibles, misez sur leur qualité supérieure.

Céréales à grains entiers

Amarante, avoine, blé, épeautre, kamut, maïs, millet, orge mondé, quinoa, riz brun, sarrasin, seigle, teff... Quel choix ! Et nous consommons surtout du blé ! **Variez les céréales.** Goûtez à différents pains, à des pâtes de riz, etc.

Un bon pain est fait de farine moulue sur pierre et ne renferme pas d'additifs chimiques. À essayer et adopter : le pain au levain. D'apparence plus lourde, il est pourtant facile à digérer et regorge de saveur. C'est le plus nutritif.

Évitez farines blanches, pains blancs, pâtes alimentaires blanches, céréales raffinées en boîte, riz blanc de toutes sortes. Ces produits ont perdu une très grande partie de leurs vitamines et minéraux ainsi que leurs précieuses fibres.

Viandes, volailles, poissons et légumineuses

Choisissez des **coupes maigres de viande et de volaille,** car leurs gras en excès causent des problèmes de santé très sérieux : maladies cardiovasculaires, cancers, etc.

Les **poissons gras** (maquereau, saumon, truite, sardine, hareng, etc.) sont toutefois un excellent choix, deux à trois fois par semaine. Leurs bons gras favorisent la santé des artères et possèdent des propriétés anti-inflammatoires. Par contre, leur mode de cuisson est important : pas de friture, mais une cuisson douce au four ou à la vapeur.

Évitez les charcuteries trop salées, trop grasses, avec additifs.

Utilisez une grande variété de **légumineuses**. Elles s'avèrent un bon choix nutritionnel.

Les produits laitiers

Les gras du beurre, de la crème, du fromage ou du lait sont dommageables pour la santé. Adoptez les fromages de lait cru, le yogourt ou le kéfir nature biologique et à faible teneur en gras.
Évitez les fromages à la crème et les tartinades avec additifs chimiques.

Des bons gras seulement

Pour la santé de votre cœur, pour prévenir le cancer, pour stimuler votre système immunitaire ou pour un meilleur contrôle de votre poids, il faut choisir de bons gras.

- Certains gras sont essentiels pour la santé. Chaque jour, consommez une petite quantité d'huile, que ce soit de l'huile d'olive extra-vierge ou une autre huile de première pression à froid, en particulier l'huile de lin, de canola biologique ou de noix du Périgord. Préférez une huile biologique qui ne contient pas de résidus de pesticides.

- Les graines oléagineuses nature (non grillées dans l'huile ni salées) sont des aliments complets qui fournissent, en plus des bons gras, des protéines, glucides, fibres, vitamines et minéraux. Découvrez les amandes, noix du Brésil, noix de Grenoble ou du Périgord, noix de macadamia, avelines ou noisettes, graines de citrouille, de sésame, de tournesol, etc. Pour une meilleure digestion, faites-les tremper recouvertes d'eau pendant quelques heures.

- L'olive, noire et mûre, et l'avocat font également partie de la famille des bons gras.

- Les gras des poissons et fruits de mer ont un effet bénéfique sur la santé des artères, à la condition, bien sûr, de ne pas les faire frire.

- Évitez tous les corps gras chauffés : huiles raffinées et hydrogénées, shortenings (graisses végétales), margarines hydrogénées. Ces gras se cachent surtout dans les aliments industriels. Lisez les étiquettes, car elles ne mentionnent pas la présence d'acides gras «trans» qui, on le sait, sont néfastes pour la santé. Ils augmentent le taux de cholestérol sanguin, particulièrement les LDL (mauvais cholestérol) et abaissent les HDL (bon cholestérol). Les gras «trans» sont formés lors de l'hydrogénation des huiles pour en faire de la margarine ou du shortening. On les retrouve dans une foule de produits préparés avec des graisses hydrogénées (mentionnées sur l'étiquette) : biscuits, craquelins, croustilles, beurre d'arachide de type commercial, bases de soupes, produits de boulangerie, beignes, croissants, frites, fritures diverses (poulet, poisson…), etc.

- Évitez de faire gratiner le fromage jusqu'au brunissement. Les protéines et les gras deviennent toxiques.

- Les viandes et produits laitiers renferment des gras saturés dont il faut limiter la consommation le plus possible. Mieux vaut se passer des charcuteries grasses et/ou très salées qui contiennent plusieurs additifs chimiques. Choisissez des coupes de viande maigre et des produits laitiers partiellement écrémés ou totalement écrémés. Réduisez le beurre et la crème.

- La plus grande partie du gras consommé se trouve sous forme cachée. Évitez de consommer régulièrement des aliments camelote qui, de toute façon, mènent aux carences alimentaires, aux excès de poids et à la maladie. Biscuits, biscottes, gâteaux, tartes, croustilles, crème glacée, croissants et tout ce qui se compose de farine blanche, sucre blanc et graisse végétale sont inutiles et sans grande valeur nutritive.

- Pour faire sauter des légumes, utilisez de l'huile d'olive, sans toutefois la faire fumer. Ses acides gras sont plus résistants à la chaleur que ceux des huiles de carthame, de tournesol, de canola, etc.

Doucement mais sûrement

N'essayez pas de chambarder toutes vos habitudes alimentaires du jour au lendemain. Vous risquez de tout laisser tomber rapidement. Évaluez d'abord vos menus et vos habitudes, puis établissez des priorités quant aux correctifs à apporter. Il faut se donner le temps de bien les intégrer.

L'important, c'est de garder le cap !

Exemples de menus quotidiens

Tout d'abord, avant de faire l'épicerie, il faut décider de ses menus quotidiens. À titre d'exemples, voici 6 jours de menus.

Menu Jour 1

Petit déjeuner

Bleuets ou fraises
Gruau d'avoine servi avec du yogourt ou de la boisson de soya
Graines de tournesol et de citrouille
Tisane, chicorée ou « café » de céréales au choix

Repas du midi

Salade de chou chinois et poivron rouge avec vinaigrette maison
Poulet ou dinde, sans peau
Haricots verts cuits à la vapeur
Pain de grains entiers

Collation : fruits frais et fromage maigre

Repas du soir

Salade de concombre avec sauce au yogourt
Riz brun et tofu à l'orientale
Légumes sautés : oignons, céleri, carottes, etc.

Menu Jour 2

Petit déjeuner

Raisins frais
Pain complet à votre choix
Beurre d'amande, de noisettes (avelines)
ou de sésame…
Yogourt nature

Repas du midi

Salade repas : laitue romaine, persil, tomate, oignon vert, 2 œufs
Vinaigrette maison à l'huile de canola biologique[1]
Galette maison ou muffin léger

Repas du soir

Crudités : brocoli, chou-fleur, etc. avec trempette de fromage maigre
Soupe minestrone : oignons, céleri, fèves pinto, pâtes, etc.
Pain multigrain
Compote de pommes non sucrée

[1] Afin d'obtenir suffisamment d'acides gras oméga-3 (acide gras essentiel), on peut mélanger certaines huiles selon les proportions suivantes : 50 % d'huile d'olive et 50 % d'huile de canola biologique ou encore 20 % d'huile de lin et 80 % d'huile d'olive.

Exemples de menus quotidiens

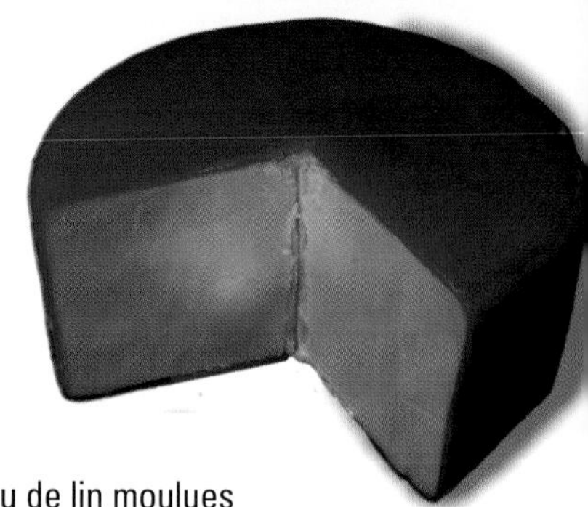

Menu Jour 3

Petit déjeuner

Fruit de saison
Crème de riz avec graines de sésame ou de lin moulues
Lait de chèvre ou boisson de soya enrichie

Repas du midi

Salade de légumes râpés : carottes, courgettes, betteraves rouges
Vinaigrette maison
Saumon cuit au four aromatisé au citron
Choux de Bruxelles
Riz complet

Collation : poire

Repas du soir

Salade d'épinards et de fèves germées avec vinaigrette maison
Pâtes alimentaires complètes et sauce aux champignons
Fromage maigre

Menu Jour 4

Petit déjeuner

Pomme et poire
Müesli : flocons d'avoine, raisins secs, graines de tournesol ou de lin moulues
Yogourt ou kéfir nature

Repas du midi

Crudités : brocoli, céleri, etc.
Sandwich : pain complet, tartinade de pois chiches (humus), laitue romaine
Fromage maigre

Collation : melon

Repas du soir

Salade rouge : laitue frisée rouge, poivron rouge, tomate
Vinaigrette maison
Omelette au poireau ou à l'oignon
Millet et courgettes sautées

Menu Jour 5

Petit déjeuner

Figues et dattes, nature ou en purée
Crêpes de farine complète (épeautre, kamut, etc.)
Yogourt nature

Repas du midi

Salade de chou (rouge ou vert)
Vinaigrette maison
Ragoût de bœuf ou de tofu aux légumes
Légumes : carottes, rutabaga, haricots verts, pomme de terre

Collation : prunes

Repas du soir

Salade verte
Vinaigrette maison
Macaroni au fromage

Menu Jour 6

Petit déjeuner

Nectarines ou pêches
Bagel multigrain ou pain complet au choix
Fromage maigre (quark ou autre)
Tisane

Repas du midi

Salade d'épinards avec avocat
Pizza aux fruits de mer : crevettes, pétoncles et légumes

Collation : mangue, kiwi ou raisins frais

Repas du soir

Crudités : bâtonnets de courgettes, radis, brocoli
avec vinaigrette maison
Riz brun aux lentilles avec champignons
et oignons
Yogourt nature ou tapioca au lait de chèvre

Exemple de menu

L'équilibre 60-20-20 à midi

Salade mélangée avec vinaigrette citron, huile d'olive extra-vierge

Saumon cuit au four

Pommes de terre grelots cuites au four

Poivrons doux poêlés

Yogourt aux fraises et fruits frais

Thé vert

Stylisme : Pierre d'Anjou Photos : Maryse Raymond

Exemple de menu

L'équilibre 60-20-20 au souper

Velouté de brocoli
Crudités avec trempette au fromage blanc et curry
Poêlée de tofu et légumineuses
Riz brun aux fines herbes
Légumes vapeur
Verre de vin rouge
Pouding au tapioca avec canneberges

Bon appétit!

Des modes
de cuisson-santé

Après avoir fait les meilleurs choix à l'épicerie, passez à la cuisine. Utilisez des modes de cuisson qui conservent au maximum les vitamines et minéraux, tout en n'ajoutant pas de gras inutile.

- Faites cuire les légumes à la vapeur, à l'étouffée (minimum d'eau) ou au four. Gardez-les croquants pour la saveur et une bonne valeur nutritive.
- La cuisson à l'étouffée permet l'utilisation de l'eau contenue dans les aliments. La saveur est rehaussée et la perte de valeur nutritive s'avère minimale. Toutefois, il faut utiliser une casserole bien hermétique.
- La cuisson à la vapeur douce ne met pas les aliments en contact avec l'eau. Elle se réalise dans une étuveuse (genre de couscoussier ou marguerite) installée dans une casserole où l'eau mijote. La plupart des légumes se prêtent bien à cette technique qui conserve mieux leur goût. Cette méthode de cuisson est également valable pour la viande ou le poisson, ce qui offre l'avantage de faire perdre une partie des toxines et des gras.
- Il est possible de faire revenir les légumes dans de l'huile d'olive ou de sésame. Ne faites jamais chauffer une huile au point qu'elle fume. Utilisez un pinceau pour étendre un minimum d'huile. Les huiles insaturées, telles les huiles de lin, de noix, de citrouille, de canola, de tournesol, de carthame, ne conviennent pas pour la cuisson.
- Les poissons peuvent cuire dans un court-bouillon ou encore au four. Arrosés de jus de citron, leurs gras conservent leur qualité et la saveur est rehaussée.
- Cuisez les viandes au four, à la vapeur ou en pot-au-feu. Retirez tout le gras visible avant la cuisson.
- Les légumineuses et les céréales complètes ne renferment pratiquement pas de gras et se cuisent dans l'eau jusqu'à cuisson complète. Nul besoin d'ajouter un corps gras. Rehaussez la saveur des légumineuses avec de l'oignon, des fines herbes, des aromates et des algues.

Conservation et qualité

Avec un minimum d'attention et de connaissances, rien de plus facile que de tirer le maximum de valeur nutritive de nos aliments.

Préservez la valeur des aliments

- Choisissez les aliments les plus frais et vérifiez la date limite de consommation.
- Emballez les aliments dans des sacs et des contenants prévus à cet effet, sous vide si possible.
- Entreposez les aliments périssables le moins longtemps possible et dans des endroits maintenus propres et à une température adéquate.
- Soyez vigilant quant à l'hygiène et la propreté lors de la préparation des repas : mains propres, cuisine et ustensiles impeccables.
- Préférez les fruits et légumes crus ou légèrement attendris à la vapeur. Conservez les crudités dans des contenants hermétiques sans ajouter d'eau.
- Les huiles et les graines oléagineuses rancissent plus rapidement sous l'effet de la lumière, de l'air et de la chaleur. Refermez bien le bouchon des bouteilles d'huile et gardez-les au réfrigérateur. Conservez les graines oléagineuses dans un endroit sombre et frais.
- La réfrigération, la surgélation, la déshydratation et la lactofermentation sont de bonnes façons de conserver la valeur nutritive des aliments.
- Décongelez les aliments au réfrigérateur. Toutefois, les légumes surgelés ne doivent pas être décongelés avant leur cuisson. Évitez les temps d'attente à la température de la pièce.

Jouez les grands chefs

- Rappelez-vous qu'on mange aussi avec les yeux. Soignez la présentation de vos mets.
- Facilitez-vous la tâche et obtenez des résultats dignes des grands chefs en utilisant des ustensiles de cuisson de première qualité.
- Procurez-vous de bons livres de recettes qui utilisent des aliments naturels. On trouve aussi facilement des recettes de desserts sans sucre.

Une alimentation anti-âge

Les recherches sur le vieillissement sont relativement récentes, mais elles nous ont déjà fait voir avec certitude non seulement l'importance de l'alimentation pour une santé optimale, mais aussi la valeur de certains aliments. Grâce à une approche globale de la santé, nous pouvons vivre chaque décennie avec l'énergie et la vitalité qui lui sont inhérentes. Même à 80 ans, nous devrions être pleins de vie !

L'intérêt grandissant envers les aliments tient au fait qu'on découvre continuellement des substances appelées « phytochimiques » ou protectrices. Par définition, ces éléments-santé proviennent des végétaux. Parmi les centaines déjà identifiés, certains agissent sur l'immunité, d'autres sur le cerveau, d'autres encore éclaircissent le sang ou préviennent la formation de cellules cancéreuses. **Le *Guide alimentaire 60-20-20* met de l'avant une alimentation des plus riches en fruits et légumes, en grains entiers, et vous incite à utiliser davantage les légumineuses.** Commencez jeune à appliquer ce guide, vous en bénéficierez au-delà de vos espérances.

Quelques exemples de superaliments et leurs actions

Voici la liste des 10 fruits et légumes anti-âge, établie par Jean Carper (*Stop Aging Now*) :
- agrumes, avocat, brocoli, carotte, chou, épinards, oignon, petits fruits (bleuets, canneberges, fraises, etc.), tomate.

Aliments	Substances protectrices	Propriétés alléguées
Ail, oignon, poireau	S-allyl cystéine Mercaptocystéine	• Prévention des maladies cardiovasculaires • Réduction du cholestérol • Réduction de la tension artérielle • Action anti-inflammatoire, antibactérienne, antifongique
Crucifères (famille du chou)	Sulforaphanes Indoles	• Action anticancer • Induction de certaines enzymes de détoxication du foie • Protection contre certains cancérogènes
Bleuets, myrtilles, baies rouges	Anthocyanes	• Protection des yeux • Renforcement des capillaires sanguins • Action antioxydante

Aliments	Substances protectrices	Propriétés alléguées
Légumineuses, soya	Saponines Isoflavonoïdes Daidzéine, génistéine	• Action anticancer • Réduction du cholestérol • Inhibition de la formation de caillots sanguins • Protection contre certains cancers
Légumes feuilles, légumes verts, fruits, pamplemousse	Flavonols et autres Quercétine, kaempférol, naringénine	• Action antioxydante • Inhibition de la formation de caillots sanguins • Protection contre certains cancers
Lin, bourrache, onagre Gadelier noir (cassis)	Acide alpha-linolénique (oméga-3)	• Réduction du cholestérol • Contrôle de la tension artérielle • Action anti-inflammatoire
Céréales à grains entiers, fruits, légumes, légumineuses	Fibres, son (céréales) Bêta-glucans (avoine et orge)	• Protection contre le cancer du côlon • Contrôle de la glycémie Prévention de la constipation • Réduction du cholestérol LDL (mauvais)
Tomate, melon d'eau, pamplemousse rose	Lycopène	• Protection contre le cancer de la prostate • Action antioxydante
Thé vert	Cathéchines	• Action antioxydante, anticancer
Graines de lin, soya, céréales entières	Lignanes	• Réduction du risque des cancers hormonodépendants : sein, prostate, utérus
Concombre, chou, tomate, courge, céréales entières, brocoli	Stérols	• Réduction du cholestérol
Romarin	Quinones	• Action antioxydante, anticancer
Avocat, melon d'eau, asperge, pamplemousse, courges, pomme de terre avec la pelure, etc.	Glutathion	• Action antioxydante, anticancer • Régénération du système immunitaire • Prévention de l'oxydation du cholestérol
Spiruline	Bêta-carotène	• Action antioxydante, anticancer

Au restaurant

- Choisissez un menu faible en gras et riche en saveur.
- Demandez une plus petite portion de viande, volaille ou poisson et davantage de légumes.
- Combinez deux entrées, l'une à base de légumes, l'autre à base de viande, volaille, poisson ou légumineuses. Complétez avec du pain de céréales complètes.
- Partagez le mets principal avec la personne qui vous accompagne et complétez le repas avec une salade ou des crudités. Demandez qu'on vous serve la vinaigrette à part.
- Évitez les menus table d'hôte ou encore avec dessert inclus, ce qui incite bien souvent à la gourmandise et aux excès.
- Examinez bien le buffet avant de faire vos choix, évitant ainsi de vous retrouver avec une assiette énorme.

L'eau source de vie

L'eau, c'est bien connu, est vitale pour l'organisme. Elle aide au transport des éléments nutritifs et à l'élimination des déchets. Elle hydrate notre peau et régularise la température de notre corps. Nos cellules s'y baignent et s'y nourrissent. Sans eau, on ne fait pas de vieux os!

Pour rester bien hydraté

- Au fur et à mesure que le corps perd son eau, buvez de 1,5 à 2 litres par jour en comptant l'eau des tisanes, jus, bouillons, etc.
- Buvez de préférence entre les repas, 15 minutes avant ou une heure après.
- Privilégiez l'eau exempte de chlore, nitrites, résidus de pesticides et métaux lourds. Choisissez une eau de source peu minéralisée. Les stations d'épuration ne peuvent éliminer tous les types de résidus polluants.
- Méfiez-vous des boissons gazeuses, même sans sucre, car elles n'apportent rien de sain à l'organisme. Leurs produits chimiques ne peuvent que nous nuire.
- Évitez les boissons ou cocktails de fruits, riches en sucre et pauvres en valeur nutritive. Elles ajoutent des calories inutiles.
- Réduisez au minimum votre consommation de café et préférez le thé vert, pris modérément. On lui a découvert des propriétés anticancer.
- Préférez l'eau fraîche à l'eau très froide, moins agressive pour le système digestif.

Autant que possible, optez pour les aliments biologiques. Cultivés, produits ou transformés sans avoir recours aux engrais chimiques, pesticides, fongicides, antibiotiques, hormones, agents de conservation, colorants, additifs alimentaires, les aliments biologiques sont élaborés dans le plus grand respect de la nature. Ils ne sont pas manipulés génétiquement (transgéniques ou OGM) et on ne les soumet pas à l'irradiation.

Récemment, les techniques de l'agriculture biologique ont commencé à faire l'objet de recherches scientifiques. Aujourd'hui, les gouvernements les subventionnent, car on sait maintenant que l'agriculture moderne conduit à la perte de qualité des sols et des aliments, et à la contamination des eaux. De plus, les travailleurs agricoles, en contact avec les produits chimiques, risquent davantage de développer certains cancers.

Les avantages de l'agriculture écologique

- Protection des sols contre l'érosion grâce aux assolements, à la rotation des cultures, au compagnonnage de plantes, etc.
- Enrichissement naturel et durable du sol, grâce aux composts et engrais verts.
- Lutte non polluante contre les maladies et les parasites grâce à des méthodes et moyens écologiques non agressifs pour l'environnement.
- Respect de l'écosystème : protection des insectes utiles, des oiseaux, des grenouilles, des poissons des rivières et des lacs, etc.

L'industrie alimentaire tente de répondre à la demande croissante d'aliments biologiques. On trouve maintenant des fruits et légumes, mais aussi des céréales, des farines complètes, des légumineuses, des graines oléagineuses, des huiles de première pression à froid, des viandes et volailles, du sucre complet, du café, des vins, des herbes aromatiques, etc. avec une certification biologique dans les épiceries et les supermarchés d'alimentation.
Non contaminé, sans résidus de pesticides ou autres, renfermant moins de nitrates et de nitrites, l'aliment biologique permet d'éviter un bon nombre d'allergies, de pathologies digestives et de troubles de santé en général. Plusieurs études démontrent la valeur nutritive supérieure, notamment en minéraux, de tous les aliments biologiques.

De l'équilibre du sol, dépend l'équilibre de la plante, de l'animal, de l'homme.
André Voisin, agronome français

d'un aliment

Certains auteurs, dont quelques scientifiques, ont attribué beaucoup d'importance à « l'énergie vitale » des aliments. Cette notion est tout à fait méconnue en diététique conventionnelle. Comme le dit un grand nutritionniste français, le Dr Lylian LeGoff : « Se nourrir, c'est surtout apporter et renouveler l'énergie sans laquelle il n'y a pas de vie possible. Or, cette énergie d'origine alimentaire ne provient pas seulement de la combustion des nutriments-matière. Elle doit comporter aussi – essentiellement - une partie qualitative qui échappe aux analyses classiques. »

André Simoneton, ingénieur français, s'est intéressé à la vitalité des aliments dès 1920. Il a établi une classification détaillée dont voici les grands points.

Aliments de qualité supérieure

- Tous les produits frais : fruits mûris à point, légumes, pousses et germinations, jus fraîchement pressés à l'extracteur
- Céréales complètes, grains germés
- Fruits oléagineux et huiles de première pression à froid
- Sucre de canne complet et sel de mer gris
- Œuf du jour

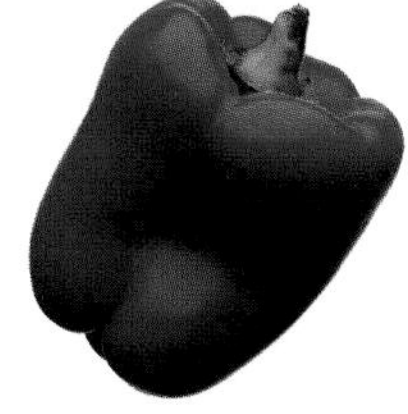

Comme on le constate, le premier critère de vitalité est la FRAÎCHEUR. La conservation, aussi utile et indispensable qu'elle soit, mène à une certaine perte de vitalité. Les cuissons brèves, à la vapeur ou à l'étouffée, conservent une bonne vitalité aux aliments.

Aliments de qualité inférieure

- Fruits trop verts ou trop mûrs, confitures, légumes trop cuits, huiles raffinées, café, thé, chocolat, œufs de plus de 15 jours, viandes cuites et charcuteries
- Conserves, sucre raffiné, margarine, farine raffinée, alcool, eaux-de-vie et liqueurs, boissons gazeuses, viandes très cuites, tartinades de fromage, etc. et bien sûr, tout le fast-food.

Nos aliments peuvent générer notre vitalité ou la détruire. Les mots-clés : Fraîcheur et Qualité

Pour savoir où aller
sachez d'où vous partez

1. Évaluez votre alimentation habituelle en remplissant un journal alimentaire pendant au moins 2 jours de semaine et une journée de fin de semaine.

2. Dressez une liste, aussi précise que possible, de tout ce que vous mangez et buvez (voir exemples dans les pages suivantes).

3. Notez l'heure et la durée du repas, l'endroit où vous l'avez pris (resto, maison, avec des amis, voiture, etc.), l'activité associée au repas (lecture, musique, télévision, etc.), votre état d'âme, l'atmosphère du repas.

4. Évaluez votre niveau d'activité physique et de relaxation. Précisez la nature et la durée de vos activités physiques (marche, danse, vélo, etc.), vos moments de relaxation et de détente (musique, yoga, lecture, etc.).

Votre journal alimentaire

Il faut vraiment faire l'exercice de remplir le tableau suivant pour prendre conscience des habitudes dans lesquelles on a tendance à glisser. Reproduisez le tableau dans un grand format. Notez également votre état de santé actuel (ex. : problèmes de digestion, cholestérol élevé, etc.). Au bout de trois semaines, notez à nouveau vos habitudes ainsi que votre état de santé. Donnez la priorité aux changements les plus urgents et continuez à améliorer vos habitudes.

Refaites votre journal alimentaire toutes les trois semaines, vous en retirerez de grands bénéfices.

Votre journal
alimentaire
à photocopier

Jour	Aliments et portions	Lieu	Heure et durée du repas	Activité associée	État d'âme et atmosphère	Activité physique	Périodes de relaxation
Lundi							
Matin							
Collation							
Midi							
Collation							
Soir							

Établissez l'itinéraire

Dressez la liste des changements que vous souhaitez apporter à vos habitudes de vie. Accordez une priorité à chaque modification.

Par exemple, je souhaite :

1. Remplacer le dessert par des fruits frais.
2. Débuter le repas par une salade ou des crudités.
3. Réduire la viande de moitié.
4. Diminuer la quantité de beurre consommée et remplacer par une petite quantité d'huile d'olive extra-vierge ou une autre huile de première pression à froid.
5. Intégrer des légumineuses deux fois par semaine : lentilles, pois chiches, fèves rouges, etc.
6. Boire deux verres d'eau entre les repas.
7. Diminuer les matières grasses de moitié.
8. Diminuer les sucres de 60 %.
9. Lire les étiquettes de pain, de céréales, etc.
10. Manger calmement, assis à la table.
11. Marcher rapidement trois soirs par semaine.
12. Cesser de prendre l'ascenseur.
13. Programmer des moments réguliers de détente et d'exercices physiques (yoga, tai-chi, par exemple).
14. Relaxer dans un bain d'huiles essentielles, avec des chandelles (et de la musique douce ou subliminale) deux soirs par semaine.

Déterminez le rythme qui vous convient, soit un changement hebdomadaire, bimensuel ou mensuel. Ne vous bousculez pas. Entreprenez un changement à la fois, et accordez-vous suffisamment de temps pour l'adopter à tout jamais. Rome ne s'est pas bâtie en un jour.

Voici un menu type nord-américain moyen. Dans les pages suivantes, découvrez comment transformer progressivement des repas dénaturés et déséquilibrés en repas-santé.
Faites vous-même, dès maintenant, l'exercice en notant vos propres habitudes alimentaires. Fixez-vous des objectifs réalisables dans un délai raisonnable...

Menu nord-américain à modifier

Matin

2 œufs frits, 3 tranches de bacon
2 tranches de pain blanc avec beurre ou margarine
1 café, 1 crème et 1 sucre

Midi

1 sandwich pain blanc au jambon, laitue, beurre et mayonnaise
1 petit sac de croustilles
4 biscuits aux brisures de chocolat
1 verre de lait 3,25 % m.g.
1 café, 1 crème

Collation

1 petit gâteau
1 café
1 crème et 1 sucre

Soir

1/2 poulet rôti avec la peau et sauce BBQ
1 portion généreuse de frites
1 petite salade de chou crémeuse
1 boisson gazeuse
1 pointe de tarte au sucre

Collation

1 gros bol de maïs soufflé avec sel et beurre
1 boisson gazeuse

Virage beauté, énergie et santé

Semaine 1:

Ajoutez des fruits et des légumes

- Ajoutez 1 fruit pour débuter la journée.
- Ajoutez des crudités pour remplacer les croustilles du midi.
- Prenez des fruits en collation.

Semaine 2:

Buvez plus d'eau

- Buvez de grands verres d'eau fraîche entre les repas.
- Diminuez les boissons gazeuses et le café.

Semaine 3:

Diminuez le gras

- Cuisez les œufs sans gras (ou pochés) et éliminez le bacon.
- Au cours de la semaine, remplacez 2 repas de viande par des repas de légumineuses.
- Réduisez de moitié le beurre utilisé sur le pain et le maïs soufflé.

Semaine 4:

Privilégiez les céréales entières

- Remplacez le pain blanc par du pain de grains entiers.
- Accompagnez le poulet du souper de riz brun et sauvage plutôt que de frites.
- Prenez un muffin au son fait maison comme collation.

Semaine 5:

Complétez le repas par un dessert-santé ni trop gras ni trop sucré

- Remplacez les desserts du commerce par des compotes de fruits frais, des galettes maison, du yogourt nature avec des fruits frais, quelques fraises ou bleuets avec 10 à 20 grammes de chocolat noir, une figue ou une datte ou un peu de fruits séchés.
- Au verre de lait de vache, substituez du yogourt nature, du kéfir biologique ou de la boisson de soya enrichie.

Consommez davantage de poisson et de légumineuses

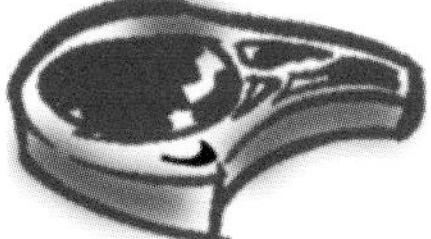

- Remplacez le jambon du sandwich par du saumon.
- Une ou deux fois dans la semaine, prenez un souper végétarien : soupe repas avec des légumineuses, chili sans viande, riz et lentilles, omelettes aux légumes, etc.

Semaine 7:

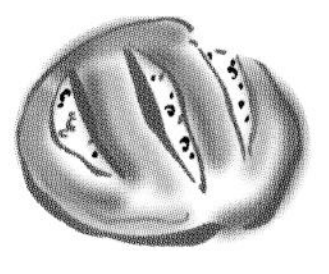

Diminuez le gras et améliorez-en la qualité

- Remplacez la vinaigrette crémeuse par un mince filet d'huile d'olive extra-vierge et de canola biologique mélangé à du jus de citron frais, du vinaigre de cidre ou balsamique, de l'ail et des fines herbes.
- Substituez à la mayonnaise commerciale une purée d'avocat assaisonnée de jus de citron pour garnir votre sandwich.
- Diminuez graduellement la quantité de beurre sur le pain et dans le maïs soufflé jusqu'à l'élimination complète.
- Ne mangez pas la peau du poulet, évitez les sauces (sauces brunes, sauces du commerce, ketchup).

Diminuez la quantité de viande, d'oeufs et de volaille, et ajoutez des légumes

- Prenez seulement un œuf au petit déjeuner plutôt que deux et ajoutez une tomate mûrie à point.
- Réduisez la portion de poulet et ajoutez des pois verts et des carottes, ou d'autres légumes à votre goût.
- Garnissez le sandwich de salade verte, de germinations et de crudités.

Diminuez le sucre

- Diminuez graduellement le sucre dans le café jusqu'à l'élimination complète.
- Sachez que le sucre de ce menu se cachait également dans les biscuits, le petit gâteau, la tarte au sucre, la sauce crémeuse de la salade de chou, les boissons gazeuses...

FAITES LE POINT

- Reprenez votre journal alimentaire, constatez à quel point vos menus se sont améliorés. Félicitez-vous d'un tel résultat et offrez-vous une petite douceur qui ne soit pas de la nourriture : massage, bain relaxant, livre ou disque compact, soirée au cinéma ou au théâtre.

- **Composez vos repas autour des fruits et légumes. Réservez-leur une place de choix.**
- **Diminuez votre ration de viande et comblez votre appétit en gorgeant votre assiette de légumes saisonniers.**
- **Intégrez du poisson, des légumineuses et du tofu à votre menu.**
- **Préférez les produits céréaliers de grains entiers.**
- **Simplifiez votre repas en le composant de quelques aliments frais et peu transformés. Découvrez la vraie saveur des aliments.**
- **Créez d'excellentes sauces à partir de bouillon dégraissé, de vin rouge et de purée de légumes frais.**

Des idées pour changer vos menus

Brochettes d'agneau, de boeuf, de poulet, de poisson ou de fruits de mer

- Pour chaque portion de viande ou autres, préparez au moins deux portions de légumes.
- Déposez viande et légumes sur un petit nid de riz brun, de pâtes de blé entier, de kamut, d'épeautre...
- Accompagnez le repas de salade.

Hamburger

- Cuisez de petites galettes de bœuf haché extra-maigre.
- Garnissez de tomate, laitue, luzerne germée, oignon rouge, concombre, poivron, etc.
- Accompagnez le hamburger de jus de légumes, de salade verte ou de crudités.

Légumes farcis

(poivron, courgette, tomate)

- Préparez une farce à base de viande maigre, de lentilles ou de tofu. Ajoutez une sauce tomate et des légumes.
- Servez avec du riz brun, du millet ou du boulghour.
- Accompagnez de salade ou de crudités.

Macaroni au fromage

- Préparez une sauce maison à base de jus de tomates et de fromage écrémé. Servez sur des pâtes de grains entiers.
- Ajoutez des légumes cuits à la vapeur, coupés en petits morceaux.
- Accompagnez de jus de légumes, frais si possible, de salade ou d'une soupe aux légumes.

Omelette

- Ajoutez des légumes hachés au mélange d'œufs.
- Faites revenir des légumes dans l'huile d'olive, puis ajoutez les œufs battus sur les légumes attendris.
- Accompagnez de pain complet et de légumes, que ce soit une salade verte ou des crudités.

Volaille

- Cuisez le poulet ou autre volaille sans la peau.
- Choisissez des recettes au four avec des légumes qui rehausseront la saveur sans avoir à utiliser du gras.
- Servez avec une salade verte et des légumes de saison.

Pâté chinois ou hachis Parmentier

- Dégraissez la viande. Si désiré, remplacez une partie de la viande par du tofu ou des lentilles.
- Diminuez la portion de pâté chinois et complétez le repas par des légumes.
- Accompagnez de salade, jus de légumes et crudités.

Pâtes alimentaires

- Utilisez des pâtes de blé entier, de kamut, d'épeautre, de sarrasin, de riz brun...
- Garnissez d'une petite quantité de viande, volaille, poisson, fruits de mer ou tofu.
- Servez avec une sauce aux légumes.
- Accompagnez toujours d'une salade ou de crudités.

Pizza

- Remplacez le salami ou le pepperoni par des haricots rouges.
- Choisissez une pâte de blé entier, du pain pita ou une tortilla.
- Diminuez la quantité de fromage et remplacez le fromage gras par du fromage écrémé.
- Ajoutez des légumes : brocoli, artichaut, chou-fleur, poivron, courgette, champignons, oignons, etc.

Poisson

- Diminuez la quantité de poisson et augmentez la portion de légumes.
- Choisissez des poissons frais et évitez de trop faire cuire. Dès que la chair devient opaque et se détache à la fourchette, le poisson est cuit.
- Accompagnez de riz brun, salade ou crudités.

Ragoût de bœuf ou d'agneau

- Diminuez la quantité de viande et augmentez la part de légumes.
- Dégraissez la viande et le jus de cuisson.
- Accompagnez de jus de légumes, de salade ou de soupe aux légumes.

Rôti de bœuf, d'agneau ou de veau

- Diminuez la portion de viande et comblez l'assiette de légumes variés.
- Accompagnez d'une petite pomme de terre, de riz brun ou de pain de céréales complètes.
- Dégraissez la viande et le jus de cuisson.

Salade

- Préparez de croustillantes salades à base de légumes variés : laitue et carotte crue, tomates et haricots verts, brocoli et chou-fleur, chou rouge et oignon vert, céleri et pomme avec noix, etc.
- Assaisonnez de vinaigrette à base d'huile d'olive extra-vierge, de vinaigre de vin ou de cidre, de jus de citron, de moutarde forte et de fines herbes.
- Préparez une sauce à salade sans gras avec du vinaigre balsamique et du jus de légumes.
- Variez les sortes d'huiles : lin, sésame, tournesol, carthame, noix, etc.

Sauce à spaghetti

- Remplacez la viande, totalement ou en partie, par du tofu, des lentilles ou des haricots rouges.
- Ajoutez beaucoup de légumes : poivrons, champignons, tomates, céleri, courgettes, oignons, ail, etc.
- Servez sur des pâtes de céréales entières, avec une grosse salade verte.

Sauté à l'orientale

- Au wok, cuisez de fines lanières de viande, poisson ou volaille.
- Ajoutez les légumes de votre choix : oignon, poivron, courgette, fèves germées, champignons, brocoli, ail, etc.
- Assaisonnez de fines herbes, de gingembre frais, de sauce soya (tamari ou shoyu).
- Servez sur des céréales complètes : riz brun ou sauvage, millet, etc.
- Accompagnez de jus de légumes, de salade ou de crudités.

L'enfance,
les fondations du capital-santé

Le ***Guide alimentaire 60-20-20*** doit être adapté en fonction des besoins tout au cours de la vie. Les enfants, en pleine croissance et toujours en mouvement, ont besoin d'une alimentation un peu plus riche en protéines et en énergie. La répartition **50-25-25** permet de répondre aux besoins des enfants de plus de deux ans. Évidemment, il n'est pas question de faire des calculs précis. Il suffit d'augmenter les quantités d'aliments du groupe des protéines et des glucides, tout en diminuant un peu les portions de fruits et légumes.

50 %	25 %	25 %
FRUITS ET LÉGUMES Crus et cuits incluant les germinations et les algues	**PROTÉINES** Poissons, fruits de mer Viandes, volailles Œufs, produits laitiers Légumineuses et tofu	**GLUCIDES** Céréales à grains entiers Pains, pâtes Pommes de terre Tubercules
	Noix, graines oléagineuses, huiles	
Sources importantes de fibres, vitamines, minéraux, enzymes, etc.	**Sources importantes de protéines, lipides, vitamines, minéraux, etc.**	**Sources importantes de glucides, fibres, vitamines, minéraux, lipides, etc.**

Pour vous aider
à leur offrir un menu-santé

Vous aimez vos enfants et souhaitez leur offrir ce qu'il y a de mieux. Ils grandissent à un rythme effarant. Vous éprouvez parfois le sentiment d'être dépassé par les événements. Les quelques suggestions qui suivent vous aideront sans doute à harmoniser leurs goûts alimentaires et leurs besoins physiologiques.

- Les jeunes enfants mangent de petites quantités. Misez sur la qualité et complétez les repas par des collations-santé.
- Respectez leur goût et leur appétit. Initiez-les très tôt à goûter à une grande variété d'aliments, mais ne les forcez jamais à finir leur assiette. Évitez toute forme de chantage.
- Portez une attention particulière à l'atmosphère des repas. Mangez à la table, en famille, avec une musique douce plutôt qu'à la sauvette devant la télé. Apprenez-leur à apprécier les aliments. La convivialité doit régner à table.
- Présentez les aliments de façon amusante. Créez des formes qui suscitent l'intérêt : transformez les bouquets de brocoli et chou-fleur en petits moutons, les haricots, carottes et tiges de céleri en personnages, les courgettes en embarcation. Laissez aller votre imagination.
- Garnissez frigo et garde-manger d'aliments-santé. Évitez les aliments camelote qui déforment le goût et finissent par altérer la santé.
- Ne mettez jamais votre enfant à la diète. Si son poids ou sa santé vous inquiètent, faites-le examiner par un professionnel de la santé ou de la nutrition.

L'adolescence,
le capital-santé

On aura beau dire, on aura beau faire, l'adolescent se soucie souvent bien peu de sa santé et de son alimentation. Les bonnes habitudes se perdent et les aliments camelote volent la vedette. Pendant cette période de grands bouleversements, la répartition **45-30-25** répond aux besoins et aux goûts de l'ado.

45 %	30 %	25 %
FRUITS ET LÉGUMES Crus et cuits incluant les germinations et les algues	**PROTÉINES** Poissons, fruits de mer Viandes, volailles Œufs, produits laitiers Légumineuses et tofu	**GLUCIDES** Céréales à grains entiers Pains, pâtes Pommes de terre Tubercules
	Noix, graines oléagineuses, huiles	
Sources importantes de fibres, vitamines, minéraux, enzymes, etc.	**Sources importantes de protéines, lipides, vitamines, minéraux, etc.**	**Sources importantes de glucides, fibres, vitamines, minéraux, lipides, etc.**

L'alimentation des adolescents se rapproche de celle des enfants, mais les portions seront plus grandes et ils doivent inclure un peu plus de protéines à chaque repas.

Les jeunes sont sensibles à leur apparence physique. Ils désirent avoir une belle peau et garder la ligne. Voici le temps de leur faire comprendre la relation entre la forme, la beauté et de saines habitudes alimentaires.

- Privilégiez les repas en famille. Établissez ensemble une grille horaire permettant ces moments d'échanges si précieux. Sans occasion particulière, faites la fête. Surprenez vos jeunes avec une ambiance particulière, un nouveau menu ou leur grand favori. Invitez leurs amis à partager des découvertes culinaires.
- Garnissez frigo et garde-manger d'aliments-santé. Évitez les tentations en y excluant, autant que possible, les aliments camelote.
- Apprenez à vos jeunes à faire l'épicerie, à cuisiner et faites-leur confiance! Explorez les cuisines internationales, faites des repas à thèmes.
- Demeurez tout de même très attentif à ces grands fléaux qui menacent les jeunes : anorexie et boulimie. Les diètes strictes, le jeûne, l'usage de diurétiques, les vomissements fréquents, l'exercice physique à outrance, les variations rapides de poids doivent être pris au sérieux. Dans le doute, n'hésitez pas à parler à un spécialiste de la santé et même à un psychologue.

Vous vivez pour deux...

Vous êtes enceinte ou vous allaitez bébé. Vos besoins sont élevés : la répartition **50-30-20** vous conviendra.

<table>
<tr><th>50 %</th><th>30 %</th><th>20 %</th></tr>
<tr><td rowspan="2">FRUITS ET LÉGUMES
Crus et cuits incluant les germinations et les algues</td><td>PROTÉINES
Poissons, fruits de mer
Viandes, volailles
Œufs, produits laitiers
Légumineuses et tofu</td><td>GLUCIDES
Céréales à grains entiers
Pains, pâtes
Pommes de terre
Tubercules</td></tr>
<tr><td colspan="2">Noix, graines oléagineuses, huiles</td></tr>
<tr><td>Sources importantes de fibres, vitamines, minéraux, enzymes, etc.</td><td>Sources importantes de protéines, lipides, vitamines, minéraux, etc.</td><td>Sources importantes de glucides, fibres, vitamines, minéraux, lipides, etc.</td></tr>
</table>

La croissance de bébé demande une alimentation bien équilibrée, nutritive où l'on augmente les protéines de haute valeur biologique.

Pendant cette période extraordinaire, vous vivez de nombreux bouleversements. Votre corps, votre état d'âme, votre vie se transforment. Plus que jamais, alimentation équilibrée est synonyme de santé.

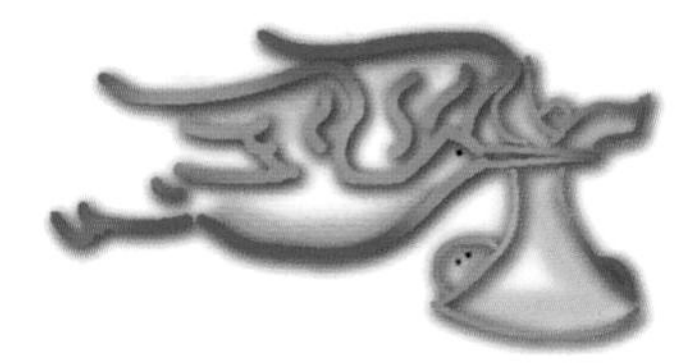

- Rappelez-vous que pour bien nourrir votre bébé sans vous épuiser, vous devez manger pour deux et non comme deux. En respectant votre appétit et en puisant votre énergie parmi les meilleurs aliments, vous saurez répondre à vos besoins nutritifs et à ceux de votre bébé. Insistez sur les sources de fer, calcium, vitamine D, vitamine C et acide folique.
- Assurez-vous de prendre des aliments riches en protéines à chaque repas et collation. Dynamisantes, les protéines vous garderont alerte jusqu'au prochain repas et pendant toute la croissance de bébé.
- Complétez votre menu par des collations-santé : crudités et fromage, fruits frais et graines oléagineuses, pain de grains entiers et beurre d'amande, yogourt, etc.
- Étanchez votre soif en buvant, entre les repas, une eau de bonne qualité ou des jus frais. Évitez boissons gazeuses, bière, vin et alcool ainsi que le café.
- Prenez le temps de vous reposer et de manger. Imposez-vous ce moment de régénération précieux et relaxez.

Vous bougez continuellement...

Vous faites partie de ceux qui ne s'arrêtent jamais. Votre activité sportive, votre travail physique ou musculaire sont intenses ? La répartition **40-25-35** correspond aux besoins de l'adulte très actif. Cependant, ces proportions peuvent varier selon l'intensité des activités.

40 %	25 %	35 %
FRUITS ET LÉGUMES Crus et cuits incluant les germinations et les algues	**PROTÉINES** Poissons, fruits de mer Viandes, volailles Œufs, produits laitiers Légumineuses et tofu	**GLUCIDES** Céréales à grains entiers Pains, pâtes Pommes de terre Tubercules
	Noix, graines oléagineuses, huiles	
Sources importantes de fibres, vitamines, minéraux, enzymes, etc.	**Sources importantes de protéines, lipides, vitamines, minéraux, etc.**	**Sources importantes de glucides, fibres, vitamines, minéraux, lipides, etc.**

Une activité physique soutenue augmente les besoins en protéines et en glucides. Par conséquent, on doit diminuer relativement les portions de fruits et légumes. Mais comme les besoins caloriques sont plutôt élevés, la quantité absolue de fruits et légumes sera tout de même plus importante que chez les personnes sédentaires.
Les athlètes de haut niveau doivent consulter un professionnel de la nutrition sportive.

Pour vous aider
à garder le rythme

Rappelez-vous que la relaxation et une bonne oxygénation de vos muscles et de votre cerveau sont essentiels au maintien de la santé. Faites régulièrement une pause-santé : riez de bon cœur, baillez, étirez-vous, respirez en profondeur, relâchez les tensions.

- Prenez le temps de manger. Imposez-vous ce moment précieux de régénération.
- Assurez-vous de choisir des aliments riches en protéines à chaque repas. Tonifiantes, les protéines vous garderont alerte jusqu'au prochain repas.
- Complétez votre menu par des collations-santé : crudités, germinations, graines oléagineuses, fromage maigre, yogourt, etc.
- Étanchez votre soif, buvez de l'eau entre les repas. Si vous transpirez beaucoup, n'oubliez pas de remplacer l'eau et les électrolytes perdus en buvant régulièrement (eau, jus de fruits frais, boissons pour sportifs).
- Privilégiez les produits céréaliers de grains entiers non raffinés.

Vous êtes en période
de ménopause / andropause

La répartition **55-25-20** répond aux besoins de cette période de grands changements. Les modifications hormonales peuvent provoquer certains inconforts et problèmes de santé. Une bonne alimentation vivante, variée, permet d'éviter la plupart des troubles habituels.

55 %	25 %	20 %
FRUITS ET LÉGUMES Crus et cuits incluant les germinations et les algues	**PROTÉINES** Poissons, fruits de mer Viandes, volailles Œufs, produits laitiers Légumineuses et tofu	**GLUCIDES** Céréales à grains entiers Pains, pâtes Pommes de terre Tubercules
	Noix, graines oléagineuses, huiles	
Sources importantes de fibres, vitamines, minéraux, enzymes, etc.	**Sources importantes de protéines, lipides, vitamines, minéraux, etc.**	**Sources importantes de glucides, fibres, vitamines, minéraux, lipides, etc.**

Pendant la ménopause, un apport suffisant en protéines soutiendra les fonctions hormonales et un esprit alerte. Si l'abus de protéines tend à décalcifier, un apport adéquat demeure un facteur important pour la santé osseuse. Attention, les muscles ont tendance à fondre.

Pour vous aider
à passer le cap !

La période de ménopause ou d'andropause est parfois difficile à vivre et à accepter. Pourtant, elle marque pour bien des gens le début d'une vie nouvelle, couronnée de sagesse et de liberté.

- Choyez-vous, vous le méritez. Plus que jamais, concoctez-vous de succulents repas. N'employez surtout pas l'excuse que vous êtes seul, que les enfants sont partis. Profitez-en enfin pour vous dorloter à votre tour. Sortez la vaisselle des grands jours, dressez une belle table, écoutez votre musique préférée.
- Misez sur la qualité. Votre métabolisme ralentit, votre appétit vous joue parfois des tours. Privilégiez les produits céréaliers de grains entiers, les fruits et légumes que vous tolérez bien.
- Le goût s'affine souvent avec l'âge. Goûtez à de nouveaux produits, jouez avec les assaisonnements, explorez des livres de recettes différents.
- Si vous êtes sans compagnon de vie, invitez des amis à partager des repas. Préparez quelques mets ensemble et que vous mettrez en réserve pour les jours suivants.
- Portez attention aux matières grasses. Choisissez des coupes de viande maigre, dégraissez soupes, bouillons et sauces. Préférez les produits laitiers écrémés. Faites cuire vos légumes à la vapeur. Mais ne négligez pas les lipides de qualité que sont les graines oléagineuses (noix, amandes, noisettes, graines de citrouille, de lin), l'olive et l'avocat, les huiles de première pression à froid.
- Limitez le sel et le sucre. Rehaussez vos plats de fines herbes fraîches et d'épices aromatiques. Préparez des desserts sans sucre raffiné.
- Hydratez-vous bien. Buvez un bon verre d'eau fraîche entre les repas. Bien sûr, évitez les boissons gazeuses qui n'apportent rien de nutritif. Méfiez-vous des abus de café : la caféine provoque une constriction des vaisseaux sanguins, ce qui rend les mains et les pieds froids.

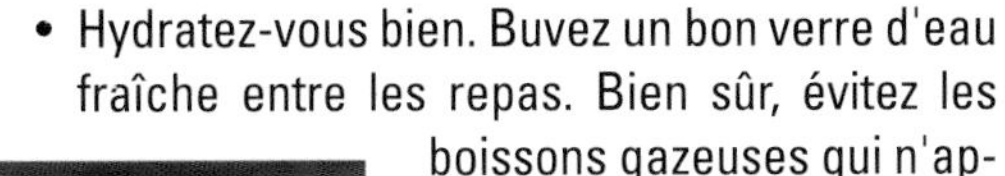

- Et surtout, restez actif physiquement : marche quotidienne, yoga, tai-chi, bicyclette, natation, tennis, etc. Allez-y à votre mesure, mais bougez !

en sagesse

Les années s'additionnent et se font de plus en plus sentir. En prenant de l'âge, notre corps change et les fonctions ralentissent. La répartition **65-20-15** répond aux besoins de l'adulte du troisième et du quatrième âge.

65 %	20 %	15 %
FRUITS ET LÉGUMES Crus et cuits incluant les germinations et les algues	**PROTÉINES** Poissons, fruits de mer Viandes, volailles Œufs, produits laitiers Légumineuses et tofu	**GLUCIDES** Céréales à grains entiers Pains, pâtes Pommes de terre Tubercules
	Noix, graines oléagineuses, huiles	
Sources importantes de fibres, vitamines, minéraux, enzymes, etc.	**Sources importantes de protéines, lipides, vitamines, minéraux, etc.**	**Sources importantes de glucides, fibres, vitamines, minéraux, lipides, etc.**

À remarquer ici que les besoins en protéines ne changent pas, mais étant donné la moindre dépense d'énergie, il faut diminuer les glucides tout en augmentant les apports de fruits et légumes si riches en substances protectrices des maladies de dégénérescence.

La qualité de votre alimentation demeure plus importante que jamais. Vous devez puiser dans une plus petite quantité d'aliments l'ensemble des éléments nutritifs essentiels à votre santé. Une alimentation vivante, de même qu'un minimum d'exercices physiques, de détente et d'assouplissement sauront atténuer les inconforts liés au vieillissement.

- Agrémentez vos repas et faites-en des moments de joie, de partage et de détente. Sortez la belle vaisselle, mettez de la musique, que vous soyez seul ou avec des convives.
- Commencez le repas par une entrée de crudités, une salade, un jus de légumes ou une soupe aux légumes.
- Privilégiez les produits de grains entiers qui apportent les fibres nécessaires à une bonne élimination. Évitez le pain blanc et les céréales raffinées en boîte.
- Les sucreries doivent demeurer occasionnelles. Terminez vos repas par des galettes maison, un yogourt, une compote de fruits. Tartes, gâteaux et petits biscuits de fabrication industrielle renferment trop de sucre, de « mauvais gras » et de farines raffinées.
- Ne bannissez pas les « bons gras » : vinaigrette à l'huile d'olive extra-vierge et autres huiles de première pression à froid, avocat, olive, graines oléagineuses nature. Les matières grasses à éviter se trouvent dans les viandes et les produits laitiers qu'il faut donc choisir avec précaution. Méfiez-vous aussi des « gras cachés » : fritures, desserts et prêt-à-manger de fabrication industrielle. Les graisses hydrogénées utilisées dans ces produits sont néfastes pour la santé.
- Respectez votre appétit. Un poids stable indique que vous connaissez vos besoins en ce sens.
- Prenez un souper léger, pour une meilleure digestion et un sommeil régénérateur.

Vous désirez prendre quelques kilos...

Vous êtes filiforme et souhaitez vous remplumer, autant pour l'apparence que pour votre santé. Une bonne musculature donne de la force physique. La répartition **45-25-30** répond aux besoins de l'adulte qui doit prendre du poids.

45 %	25 %	30 %
FRUITS ET LÉGUMES Crus et cuits incluant les germinations et les algues	**PROTÉINES** Poissons, fruits de mer Viandes, volailles Œufs, produits laitiers Légumineuses et tofu	**GLUCIDES** Céréales à grains entiers Pains, pâtes Pommes de terre Tubercules
	Noix, graines oléagineuses, huiles	
Sources importantes de fibres, vitamines, minéraux, enzymes, etc.	**Sources importantes de protéines, lipides, vitamines, minéraux, etc.**	**Sources importantes de glucides, fibres, vitamines, minéraux, lipides, etc.**

Pour prendre du poids, une alimentation vraiment nutritive s'impose : moins de fruits et légumes riches en eau, et plus de protéines et de glucides. Surtout, privilégiez les graines oléagineuses !

La minceur n'est pas nécessairement un signe de mauvaise santé. Si vous mangez de façon équilibrée, gérez votre stress, bougez régulièrement et que votre poids est stable, votre santé n'est probablement pas en cause. Par contre, si votre minceur fait suite à une perte de poids rapide et inexpliquée, consultez un spécialiste de la santé et de la nutrition. La prise de poids souhaitée doit être réaliste et doit respecter votre constitution.

- Misez sur la qualité. Nul besoin de se gaver de n'importe quoi à toute heure du jour pour prendre quelques kilos. Ajoutez des collations nutritives et énergétiques comme des graines oléagineuses (noix, amandes, noisettes, etc.), du yogourt, des fruits séchés, du fromage, etc.
- Prenez le temps de manger et de vous préparer de délicieux repas.
- Ralentissez un peu le rythme si vous travaillez intensément et ne restez jamais en place.
- Détendez-vous et relaxez si vous avez un tempérament nerveux. Prenez du recul sur ce qui vous tracasse et remettez le tout en perspective. La solution à nos tracas nous vient alors plus facilement.
- Pratiquez un peu de musculation. Sans vous défoncer à soulever des poids lourds, un bon programme de musculation peut vous aider à prendre quelques kilos de masse musculaire.
- Acceptez-vous tel que vous êtes. Votre corps ne correspond peut-être pas aux canons de beauté de la publicité, mais rappelez-vous que ces images ne reflètent pas la réalité et ne sont pas nécessairement synonymes de santé.

Vous désirez perdre
quelques kilos

Votre corps vous pèse. Il vous semble lourd et inconfortable : la répartition **65-20-15** répond généralement aux besoins de l'adulte au-dessus de son poids-santé ou qui a tendance à prendre du poids facilement.

65 %	20 %	15 %
FRUITS ET LÉGUMES Crus et cuits incluant les germinations et les algues	**PROTÉINES** Poissons, fruits de mer Viandes, volailles Œufs, produits laitiers Légumineuses et tofu	**GLUCIDES** Céréales à grains entiers Pains, pâtes Pommes de terre Tubercules
	Noix, graines oléagineuses, huiles	
Sources importantes de fibres, vitamines, minéraux, enzymes, etc.	**Sources importantes de protéines, lipides, vitamines, minéraux, etc.**	**Sources importantes de glucides, fibres, vitamines, minéraux, lipides, etc.**

Pour diminuer son taux de gras corporel, il est important de conserver les protéines, mais il faut augmenter ses portions de fruits et légumes qui donnent de la satiété, en privilégiant les légumes par rapport aux fruits dans une proportion de 3 à 4 pour 1. Les glucides et les graines oléagineuses doivent être réduits. Ce type d'alimentation a fait ses preuves depuis longtemps !

Nul besoin de mourir de faim pour perdre les kilos en trop. En se donnant du temps et en corrigeant les habitudes de vie qui favorisent l'embonpoint, la plupart des gens peuvent améliorer leur état de santé. L'acceptation de soi, une augmentation du niveau d'activité physique, une meilleure gestion du stress et de ses émotions mèneront au but visé.

- Soyez réaliste. Vous ne pouvez modifier vos habitudes de vie et atteindre un poids-santé du jour au lendemain. Donnez-vous du temps et fixez-vous des objectifs réalisables. Une perte de 0,5 à 1 kg par semaine est suffisante. À ce rythme, vous ne serez pas épuisé au bout de quelques semaines et vous ne souffrirez pas de fringales.
- Bougez, marchez, pédalez, dansez, etc. Peu importe l'activité, l'important est de bouger, d'augmenter son rythme cardiaque, de s'essouffler un peu et de transpirer. Cependant, respectez votre rythme et écoutez votre corps. Allez-y progressivement !
- Soyez à l'écoute de la vraie faim, celle qui vient du corps et non de la mémoire. Mangez lentement et calmement. Cessez de vous culpabiliser avec la nourriture.
- Misez sur la qualité. Privilégiez les aliments frais, peu transformés. Limitez les matières grasses en optant pour des coupes de viande maigre, des produits laitiers écrémés, des modes de cuisson sans gras. Et surtout, lisez les étiquettes pour repérer les « gras cachés » dans les biscottes, le prêt-à-manger, etc.
- Limitez les lipides, mais conservez les oléagineux bénéfiques que sont les noix et amandes, l'olive, l'avocat, les huiles de première pression à froid. N'oubliez pas cependant que ces aliments sont très calorifiques et qu'il faut les consommer en très petite quantité.
- Ne sautez pas de repas et évitez toute forme de grignotage. Buvez de l'eau ou des tisanes entre les repas. Si vous avez besoin d'une collation, préférez la boisson ou le fromage de soya, le lait de chèvre et évitez les glucides.
- Les deux plus importants repas doivent être le petit déjeuner et le repas du midi. Le repas du soir sera plus léger, avec une grande abondance de légumes.
- Se coucher tôt pourrait éviter le retour de la faim et la tentation de grignoter avant d'aller au lit.
- Cessez d'être obsédé par votre poids. Pensez plutôt en fonction du poids-santé et du pourcentage de tissu adipeux.

votre alimentation

Pour vous combler, votre alimentation doit être individualisée et adaptée aux besoins du moment : votre état de santé, l'environnement dans lequel vous vivez, votre niveau de stress et d'activité sont autant de facteurs qui peuvent influencer la façon de vous alimenter.

Nous vous proposons une certaine répartition des aliments de votre menu. Maintenant, il vous appartient d'intégrer les grands principes et d'adapter votre assiette selon vos goûts et vos besoins.

Au gré des climats et des saisons

- Croulant sous une vague de chaleur estivale, augmentez la proportion de fruits et légumes, tout en diminuant légèrement les aliments riches en glucides. La proportion de protéines reste la même, ce qui pourrait donner une répartition de **65-20-15**.
- Frémissant au cœur de la rigueur hivernale, augmentez la proportion d'aliments riches en glucides tout en diminuant les fruits et légumes. La proportion de protéines reste la même. La répartition sera de **40-20-40**.
- La répartition **60-20-20** répond généralement bien aux besoins en climat tempéré.

Selon le moment de la journée

- Les protéines, dynamisantes, aident à maintenir un esprit alerte. Assurez-vous d'en retrouver à chaque repas tout en insistant sur les repas qui précèdent une période d'attention ou d'activité maintenue. Les glucides, à effet calmant, apportent chaleur et réconfort. Si vous travaillez de jour, le petit déjeuner et le repas du midi renfermeront davantage de protéines et moins de glucides que le repas du soir.

Pour se sentir vraiment bien dans sa peau, il faut s'accorder une belle qualité de vie. Vous veillez à votre alimentation, c'est parfait, mais prenez aussi soin de votre corps et de votre esprit.

UNE HEURE PAR JOUR

L'hygiène du corps

20 minutes

- Prenez une douche fraîche
- Protégez votre peau
- Portez des vêtements confortables
- Aimez votre corps

Les soins de l'esprit

20 minutes

- Ressourcez votre esprit
- Respirez à pleins poumons
- Relaxez-vous
- Détendez-vous

L'exercice physique

20 minutes

Marchez • Courez • Faites du vélo • Nagez • Sautez • Amusez-vous

REVITALISEZ-VOUS À TOUS LES NIVEAUX DE VOTRE ÊTRE !

Bien soigner votre peau et respecter votre corps font également partie d'un concept global de santé. Alors, à vos marques, prêts, partez !

- La meilleure façon d'oxygéner votre peau et de lui redonner un aspect radieux est la technique du brossage à sec, ce qui élimine les cellules mortes. La liste des bienfaits est impressionnante : stimulation de la circulation sanguine, amélioration du drainage lymphatique, renforcement du système immunitaire. Le brossage du corps élimine aussi l'excès d'eau contenue dans vos tissus, combattant ainsi votre aspect gonflé de certains matins. Votre peau devient plus souple et vos cellules se régénèrent mieux. De plus, le brossage procure un regain d'énergie immédiat, tout en donnant à la peau une luminosité remarquable. Les meilleurs moments pour se brosser le corps sont le matin et juste avant l'heure du coucher. Tout ce dont vous avez besoin c'est une brosse d'une excellente qualité que vous laverez soigneusement au moins deux fois par semaine. Évitez de brosser toute zone écorchée ou qui révèle une ecchymose. Pour bien faire, commencez par brosser vos orteils, puis vos pieds, vos jambes en remontant vers le cœur. Faites de même avec vos doigts, vos mains, vos avant-bras et vos bras. Procédez par mouvements souples et rotatifs en n'appuyant pas exagérément sur la peau.
- Ensuite, hop sous la douche ! En vous lavant avec des produits de qualité (savon au lait de chèvre, aux plantes, aux huiles essentielles, produits respectant le pH de la peau), votre douche peut devenir un vrai soin de beauté. Amusez-vous à alterner le chaud et le froid, en terminant par un jet d'eau fraîche partant des chevilles jusqu'au buste. Effet tonique garanti !
- La crème hydratante n'est pas réservée uniquement au visage. Au sortir de la douche, appliquez-la sur l'ensemble de votre corps en massant bien vos jambes avec de longs mouvements ascendants. Votre peau devient extrêmement douce et supporte mieux les agressions climatiques.
- Une fois par semaine, accordez-vous le plaisir d'un masque de qualité adapté à la nature de votre peau en profitant de cette gâterie dans un bon bain.
- Avec votre produit préféré, exfoliez régulièrement vos pieds en insistant sur vos talons, puis vos genoux, vos coudes et vos mains. Terminez votre soin par l'application d'une crème hydratante.
- Lorsque vos mains deviennent vraiment trop sèches et calleuses, dorlotez-vous par l'application généreuse de crème pour les mains au-dessus d'une casserole d'eau bouillante. Gardez vos mains une dizaine de minutes dans cette vapeur. Elles en ressortent alors profondément adoucies et embellies.
- De récentes études ont démontré l'importance de la soie dentaire dans notre hygiène quotidienne. Ce geste, souvent délaissé, nous débarrasse pourtant du tartre et des vilaines bactéries qui encrassent nos dents, affectent nos gencives et, mais oui, nos artères. À en faire un rituel quotidien !

Et le sport dans tout ça ?

Concernant l'exercice physique (mot qui en fait grimacer plusieurs), nous prônons la philosophie suivante.

Il est bon de se mettre en forme pour faire du sport et non pas de faire du sport pour se mettre en forme ! En clair, vous retrouver au sommet d'une côte et devoir la descendre en skis ne vous sera bénéfique que si vous avez pris soin de préparer votre corps à cette situation. Il en va de même pour tous les autres sports.

D'excellents moyens de mise en forme existent : stretching (étirements), yoga, aquaforme, marche rapide, etc. Pratiqués avec l'intelligence du respect de votre condition et à votre rythme, ils ont le mérite de vous faire redécouvrir votre corps en vous donnant l'essor nécessaire pour vous entraîner éventuellement vers la pratique régulière d'une activité sportive. Dans tous les cas, rester souple, conserver sa masse musculaire et osseuse s'avèrent le meilleur passeport anti-âge. Et puis, c'est bien agréable !

- Avec un entraîneur, grâce à la télévision ou par des exemples issus de vos magazines, répertoriez les exercices physiques que avez le goût de faire.
- Fixez-vous des objectifs de petites victoires personnelles, du type : je remuscle mes bras, je regalbe mes jambes, ou encore je skie cet hiver ou danse le tango, etc.
- Mettez votre musique favorite pour faire vos mouvements d'assouplissement et de musculature, à l'aide de petits poids que vous vous êtes offerts. Il existe différents modèles et couleurs sur le marché, ce qui constitue un bon investissement.
- Habillez-vous confortablement et assurez-vous qu'aucun élastique ne vous comprime la taille, les épaules, les chevilles ou les poignets.
- Seul ou en compagnie, envisagez ce moment de la journée comme un privilège que vous vous accordez, non une corvée que vous devez subir.
- Débranchez le téléphone et concentrez-vous uniquement sur les mouvements que vous faites, leur précision, leur justesse ainsi que sur votre rythme cardiaque.
- Une fois votre séance terminée, laissez-vous envahir par le sentiment d'accomplissement, même d'euphorie qui vous habite.
- De temps à autre, notez vos progrès et réflexions dans un joli cahier réservé à cet effet.

Ce qui se passe
dans nos têtes !

Apprivoiser notre pensée est tout aussi important pour la santé de nos cellules que la qualité de notre alimentation. Quand une sommité médicale comme le Dr Jean Seignalet, spécialiste en immunologie, nous le recommande, on peut en tenir compte !

LES EFFETS DE LA PENSÉE

Aux extrémités du spectre de la pensée se trouvent, d'un côté, l'ivresse dégageant un sentiment de joie et d'euphorie; de l'autre, la détresse provoquée par la peur et la hantise. Cet ensemble de perturbations biologiques et psychiques que connaît l'organisme a été décrit par le Dr Hans Selye sous le nom de « stress ».

Notre pensée, issue de nos conditionnements, travaille sans relâche à maintenir notre organisme dans la zone de confort, d'équilibre. Cette zone se situe exactement là où s'arrête la détresse et où commence l'ivresse.

L'ivresse se caractérise par la joie, l'espoir, les gains, l'anticipation d'une victoire. La détresse se traduit par les pertes, l'appréhension des difficultés, le désespoir. Étant des êtres agissant dans un monde sans cesse en changement, il ne peut y avoir d'équilibre stable. Nous devons donc contrôler les déséquilibres.

Quand nous sommes dans un état de tension excessive, notre système hormonal se met en branle et décharge de l'adrénaline et d'autres hormones. Notre corps se prépare à prendre la fuite ou à combattre. La fréquence cardiaque et la tension artérielle augmentent, les bronches se dilatent, le glucose est libéré dans le sang, etc. Chez nous, les humains, notre système d'adaptation est souvent mis en fonction uniquement par l'effet de la pensée qui anticipe les situations heureuses ou malheureuses. Lorsque cet état de tension devient chronique, il entraîne des perturbations physiques et psychologiques. Entre autres, la digestion se fait moins bien, puis la fatigue et l'épuisement finissent par s'installer. À long terme, c'est le surmenage, les dérèglements hormonaux, les maladies cardiovasculaires, la fatigue chronique et même la fibromyalgie.

Notre état mental exerce donc une influence extrêmement grande sur notre santé en général. Nous devons y accorder une attention particulière afin de non seulement prévenir des problèmes de santé physique, mais vivre heureux.

y voir clair

Il existe des moyens pour se rapprocher le plus fréquemment possible de notre zone de confort et s'y maintenir.

- Identifiez la ou les causes du malaise. Prenez le temps d'écrire ce que vous ressentez.
- Faites face à la réalité et établissez un plan d'action à court, moyen et long terme en vous fixant des objectifs réalistes.
- Utilisez des moyens de détente afin de favoriser la relaxation.
- Prenez une distance face au sujet de votre préoccupation.
- Confiez-vous à une personne amie ou cherchez un soutien professionnel. Il importe qu'au départ vous respectiez leur discernement.
- Identifiez en vous-même les éléments générateurs de l'équilibre psychique : l'autonomie, la confiance, le respect des autres et de la parole donnée, l'honnêteté, la générosité, la simplicité, la volonté. Ils apportent des dividendes.
- Identifiez également les éléments perturbateurs de l'équilibre psychique : l'amertume, l'arrogance, l'avidité, la calomnie, la colère, la jalousie, la nostalgie, la médisance, la revanche, la vengeance, la violence. Ils nous gardent en position de faiblesse.
- Accordez de l'attention à l'équilibre de votre budget, quels que soient vos revenus. Un contrôle adéquat peut libérer de bien des soucis.
- Saisissez chaque occasion qui favorise la confiance et l'autonomie, tels les cours d'art oratoire, de développement personnel, etc.
- Équilibrez vos activités et émerveillez-vous des plus petites choses de la vie.
- Développez votre potentiel et vos rêves.
- Établissez vos orientations.
- Planifiez votre stratégie.
- Organisez votre plan d'action en construisant des ponts vers vos objectifs.
- Donnez-vous du temps.
- Soyez passionnés.

Index glycémique des aliments

On classe les aliments d'après la façon dont ils affectent le taux de glucose dans le sang (glycémie). L'index glycémique (I.G.) est une mesure qui établit la vitesse de l'élévation du taux de glucose sanguin ainsi que son intensité. Seuls les aliments riches en glucides (hydrates de carbone) affectent la glycémie. Par ailleurs, l'I.G. varie selon la digestibilité de l'amidon ou des sucres d'un aliment, les interactions de l'amidon avec les protéines, la quantité de gras, de sucre et de fibres, la cuisson et la texture (farine grossière ou fine) des aliments. De plus, la combinaison de différents aliments influence l'I.G. d'un repas. Ainsi, une quantité importante de légumes verts maintiendra un I.G. total assez bas même si ce repas renferme des pommes de terre.

On connaît l'importance pour les diabétiques et les hypoglycémiques de consommer des aliments à index glycémique bas (moins de 40). De plus, ce type d'alimentation contribue au maintien de la santé et du poids, car il sollicite peu le pancréas. En effet, lorsque le taux de glucose sanguin s'élève, le pancréas sécrète de l'insuline pour permettre l'entrée du glucose dans les cellules. Une grande quantité d'insuline stimule la mise en réserve des graisses, d'où une prise de poids plus facile. La sollicitation continuelle et à long terme du pancréas pourrait amener son dysfonctionnement.

On pourra constater que l'I.G. est différent du pouvoir sucrant ou édulcorant d'un aliment, c'est-à-dire la saveur sucrée qu'il procure au palais.

Enfin, rappelons qu'il s'agit ici de préférer les aliments à index glycémique **bas** puis moyen lors de la composition des repas.

Index glycémique des aliments

ALIMENTS À INDEX GLYCÉMIQUE ÉLEVÉ (+60)	I.G.
Maltose	110
Glucose	100
Panais	97
Pain baguette – blanc	95
Riz blanc	88
Pomme de terre au four, carottes cuites	85
Corn Flakes	83
Galettes de riz	77
Beignes, gaufres	76
Pommes de terre frites	75
Blé soufflé, croustilles de maïs, biscuits Graham	74
Pomme de terre bouillie et pilée	73
Millet	71
Crème de blé, pain Melba, tapioca	70
Gâteau des anges	67
Betteraves cuites	64
Raisins secs, sucre blanc	64
Muffins	62
Crème glacée	61
Barres Müesli	61
Soupes de pois cassés	60

ALIMENTS À INDEX GLYCÉMIQUE MOYEN (40-60)	I.G.
Vermicelle de riz	58
Miel	58
Pomme de terre nouvelle, riz sauvage	57
Müesli, mangue	56
Maïs soufflé et maïs sucré	55
Biscuits à l'avoine	55
Riz brun	55
Spaghetti (pâtes)	55
Patate sucrée	54
Kiwi	53
Jus d'orange	52
Pain pumpernickel	50
Chocolat	49
Carottes crues	49
Céréales Red River	49
Pois verts	48
Blé boulghour	48
Riz étuvé, pain de son d'avoine	48
Raisins frais	46
Orange	44
Céréales All-Bran	42
Jus de pomme	41

ALIMENTS À INDEX GLYCÉMIQUE BAS (-40)	I.G.
Fèves pinto	39
Prunes	39
Fèves mung	38
Soupe aux tomates	38
Haricots blancs, navy	38
Pomme	38
Spaghetti de blé entier	37
Poire fraîche	37
Fèves rouges	34
Pois chiches	33
Yogourt faible en gras, sucre de fruits	33
Lait écrémé	32
Abricots séchés	31
Boisson de soya, sans sucre	30
Lentilles vertes	29
Orge perlé	25
Pamplemousse	25
Fructose	22
Cerises	22
Fèves soya	18
Légumes verts, champignons, arachides	15

D'après les valeurs de R. Mendosa, mises à jour sur Internet en mars 2000. Environ 300 aliments ont été testés.
Les valeurs peuvent varier d'une recherche à l'autre, car les aliments diffèrent selon leur origine, leur variété et leur temps de cuisson.

LES PROTÉINES

Pour remplacer les protéines de la viande, de la volaille, du poisson et des fruits de mer, la nature nous offre les légumineuses et les céréales. Les œufs et les produits laitiers apportent également des protéines. Les graines oléagineuses en renferment un peu, mais on limite leur consommation à cause de leur teneur en gras. De plus, plusieurs légumes apportent une certaine quantité de protéines qui complètent les apports protéiques réguliers.

Pour créer des combinaisons de protéines complètes de bonne qualité, on peut associer les aliments suivants :

- Céréales et légumineuses
- Céréales et produits laitiers (vache ou chèvre)
- Légumineuses et graines oléagineuses

EXEMPLES DE METS PROTÉINÉS SANS VIANDE

- Riz et lentilles
- Riz et tofu
- Soupe aux pois cassés et pain
- Couscous aux pois chiches
- Pain pita avec purée de pois chiches (humus)
- Tortillas et fèves pinto
- Pâtes alimentaires, légumes et fromage
- Soupe aux lentilles avec riz aux légumes et graines oléagineuses
- Bagel et fromage de soya
- Soupe minestrone et pâtes
- Lasagne aux légumes et fromage
- Spaghetti aux lentilles ou fèves rouges
- Sandwich à la tartinade de tofu
- Pain et beurre d'arachide
- Céréales et lait
- Céréales et boisson de soya
- Crêpes et fromage
- Les œufs fournissent des protéines complètes, mais il faut en limiter la consommation pour certaines personnes.

Principales sources de CALCIUM

Le rôle du calcium dans le maintien d'une ossature en santé est bien connu. Le calcium agit aussi au niveau de la coagulation du sang et de la croissance.

Lait et produits laitiers	Portions	mg
• Mozzarella part. écrémé	50 g	365
• Kéfir	250 ml	350
• Ricotta	125 ml	337
• Lait de chèvre	250 ml	326
• Lait de vache, 2 % m.g.	250 ml	315
• Yogourt nature, 0,1 % m.g.	125 ml	257

Fruits et légumes	Portions	mg
• Brocoli	250 ml	178
• Chou frisé, haché, cuit	250 ml	172
• Chou bok choy, cuit	250 ml	158
• Bette à carde, cuite	250 ml	146
• Figues, séchées	5	135
• Rutabaga, cuit	250 ml	100
• Haricots verts, cuits	250 ml	58
• Courge d'été, cuite	250 ml	48
• Orange	1 moyenne	48
• Raisins secs	125 ml	43

Légumineuses	Portions	mg
• Boisson de soya enrichie	250 ml	243
• Tofu ferme, ordinaire	125 ml	154
• Fèves noires, cuites	250 ml	140
• Fèves pinto, cuites	250 ml	130
• Haricots blancs, cuits	250 ml	98
• Pois chiches, cuits	250 ml	80
• Fèves rouges, cuites	250 ml	74
• Lentilles, cuites	250 ml	49

Graines oléagineuses	Portions	mg
• Sésame, graines entières	60 ml	355
• Beurre de sésame	30 ml	126
• Amandes entières	45 ml	75

Divers	Portions	mg
• Saumon en conserve (+ arêtes)	90 g	183
• Algue hijiki	10 g (60 ml)	140
• Mélasse noire	15 ml	138
• Kelp (varech)	10 g	109
• Algue kombu	10 g	80
• Thé kukicha	10 g	72

Apports nutritionnels recommandés pour les adultes : **800-1000 mg par jour**

Principales sources de FER

Le fer est indispensable à l'oxygénation des tissus. Il favorise une bonne immunité et le métabolisme des protéines. La vitamine C favorise l'absorption du fer. Les suppléments de calcium, le café et le thé noir en diminuent l'assimilation.

Abats, viandes et oeufs	Portions	mg
• Foie de porc	100 g	17,9
• Foie de bœuf	100 g	8,8
• Huîtres, crues	6-8	5,5
• Foie de veau	100 g	4,4
• Truite	100 g	4,0
• Bœuf, longe, maigre	100 g	3,7
• Veau, poitrine	100 g	3,3
• Œuf de poule	1 gros	2,0
• Dinde, agneau	100 g	2,0
• Thon en conserve, dans l'eau	100 g	1,6
• Crevettes	6 grosses	1,5
• Œuf de caille	3 œufs	1.0
• Poulet ou porc, cuit	100 g	1,0

Légumineuses	Portions	mg
• Haricots blancs, cuits	250 ml	5,4
• Fèves rouges, pois chiches, cuits	250 ml	4,7
• Haricots de Lima, lentilles, cuits	250 ml	4,4
• Tofu ordinaire	100 g	1,9

Produits céréaliers	Portions	mg
• Quinoa, cuit	250 ml	5,3
• Blé boulghour, cuit	250 ml	2,8
• Millet, cuit	250 ml	2,2
• Riz brun, cuit	250 ml	2,1
• Gruau d'avoine, cuit	250 ml	1,6
• Riz sauvage, cuit	125 ml	1,1
• Pain complet	1 tranche	1,1

Divers	Portions	mg
• Kelp (varech)	10 g	10,0
• Spiruline	5 g	5,3
• Graines de citrouille	30 ml	4,2
• Mélasse noire	15 ml	3,3
• Graines de sésame, entières	30 ml	2,6
• Graines de citrouille	15 ml	2,1
• Levure de bière	10 g	1,7
• Brocoli, cuit	250 ml	1,4
• Avocat	1 demi	1,4
• Graines de tournesol	30 ml	1,2
• Pois verts, cuits	125 ml	1,2
• Noix de cajou	30 ml	1,0
• Pruneaux séchés	5	1,0
• Raisins secs	125 ml	1,0

Apports nutritionnels recommandés pour les femmes ayant des règles : **13 mg par jour**; pour les hommes : **9 mg par jour.**

Principales sources de MAGNÉSIUM

Le magnésium est le minéral « antistress ». Il décontracte les muscles, favorise la production d'énergie, dilate les vaisseaux sanguins et les bronches, augmente la solubilité du calcium. Il est utile pour prévenir la carie dentaire, les lithiases rénales, les allergies et le syndrome prémenstruel. Le magnésium alimentaire provient surtout du règne végétal.

Légumes	Portions	mg
• Bette à carde, cuite	250 ml	160
• Brocoli, cuit	250 ml	98
• Okra, cuit	250 ml	96
• Épinards, cuits	250 ml	90
• Pois verts, cuits	250 ml	66
• Chicorée, crue	250 ml	57
• Pois mange-tout, cuits	250 ml	44
• Pomme de terre, au four	1 moyenne	39
• Rutabaga, en cubes	250 ml	3
• Haricots jaunes ou verts, cuits	250 ml	33
• Tomate rouge, en conserve	250 ml	30
• Fèves mung, germées	250 ml	22

Fruits	Portions	mg
• Kiwi	2	46
• Cantaloup, moyen	1/2	40
• Banane	1 moyenne	32
• Figues fraîches	4 moyennes	32

Légumineuses	Portions	mg
• Fèves noires, cuites	250 ml	160
• Tofu	125 ml	133
• Pois chiches, cuits	250 ml	120
• Fèves blanches, cuites	250 ml	89
• Fèves rouges, cuites	250 ml	82
• Fèves de Lima, cuites	250 ml	80
• Lentilles, cuites	250 ml	52

Produits céréaliers, graines oléagineuses	Portions	mg
• Quinoa, cuit	250 ml	140
• Millet, cuit	250 ml	76
• Riz sauvage, cuit	250 ml	65
• Flocons d'avoine, cuits	250 ml	56
• Riz brun, blé boulghour, cuits	250 ml	56
• Amandes, noix de cajou	12	48
• Beurre d'amande	15 ml	48
• Graines de sésame, entières	30 ml	34
• Germe de blé	30 ml	31
• Pain de blé entier, ferme	1 tranche	27

Poissons et fruits de mer	Portions	mg
Sardines, en conserve, avec arêtes	100 g	52
Crevettes, en conserve	100 g	49

Apports nutritionnels recommandés pour les adultes : **250 mg**

Principales sources de VITAMINE C

La vitamine C contribue au maintien de la santé de plusieurs façons. Entre autres, elle favorise l'immunité, aide à l'absorption du fer, permet la réparation des tissus (peau, cartilage, gencives, etc.). Elle aide au métabolisme du cholestérol et de plusieurs vitamines. C'est un antioxydant très important.

La vitamine C est la plus fragile. Elle perd son efficacité sous l'effet de la chaleur et se dissout dans l'eau. Elle se détruit lors de l'entreposage et la congélation. Préférez les fruits et légumes frais et crus. Si vous devez les cuire, faites-le rapidement à la vapeur. Accompagnez chaque repas d'une source de vitamine C.

Fruits	Portions	mg
• Papaye	1 moyenne	192
• Goyave	1	165
• Jus d'orange, frais	250 ml	131
• Cantaloup	1 demi	113
• Jus de pamplemousse, frais	250 ml	99
• Fraises fraîches	250 ml	89
• Orange	1 moyenne	70
• Kiwi	1 moyen	57
• Mangue	1 moyenne	57
• Pamplemousse rose	1 demi	47
• Framboises ou mûres, fraîches	250 ml	32

Légumes	Portions	mg
• Brocoli, cru	1 tige et 1 fleur	141
• Brocoli, cuit	250 ml	103
• Poivron, vert ou rouge, cru	1 moyen	95
• Pois mange-tout, crus	250 ml	92
• Chou vert frisé (kale), cru	250 ml	85
• Chou chinois ou chou cavalier, cru	250 ml	47
• Rutabaga, cuit	250 ml	39
• Chou-fleur, cru	125 ml	38
• Chou rouge, cru	125 ml	31
• Patate douce, cuite au four	125 ml	26
• Persil, cru	125 ml	25
• Pois verts, cuits	250 ml	24
• Tomate rouge, crue	1 moyenne	22
• Pomme de terre, au four	1 moyenne	20
• Laitue romaine	250 ml	14

À noter que plusieurs jus de fabrication industrielle sont additionnés de vitamine C.

Apports nutritionnels recommandés pour adultes au Canada : **30-40 mg.** La plupart des experts s'entendent pour recommander des quantités supérieures, de **100 à 300 mg par jour.**

Principales sources D'ANTIOXYDANTS

Les antioxydants sont des piégeurs de radicaux libres, ces molécules qui détruisent nos tissus et mènent aux maladies de dégénérescence. Ils s'avèrent indispensables dans la prévention du cancer, des maladies cardiovasculaires, des cataractes, etc. Les antioxydants les plus connus sont le bêta-carotène, la vitamine C, la vitamine E, les flavonoïdes, le lycopène et la lutéine.

Les meilleures sources se trouvent dans les produits végétaux. Mettons de la couleur dans nos assiettes !

SOURCES DE BÊTA-CAROTÈNE

- Spiruline, citrouille et courges orangées, carotte, patate douce, mangue, épinards, abricots, poivron vert, brocoli et légumes verts feuilles.

SOURCES DE LYCOPÈNE

- Tomate, carotte, poivron vert, abricot, pamplemousse rose et melon d'eau.

SOURCES DE VITAMINE C

- Papaye, goyave, orange et autres agrumes, kiwi, mangue, brocoli, poivron, choux et fraises.

SOURCES DE FLAVONOÏDES

- Oignon, persil, rhubarbe, pamplemousse, orange, pomme, abricot, poire, pêche, tomate, bleuet, cerise, canneberge (atocas), cassis, raisin, prune, framboise, fraise, légumineuses, sauge, thé vert et vin rouge.

SOURCES DE VITAMINE E

- Graines oléagineuses, huiles de première pression à froid, germe des céréales.
- Le raffinage des huiles de même que la friture font disparaître la vitamine E.

Principales sources de FIBRES ALIMENTAIRES

Les fibres jouent un rôle important dans la prévention de l'obésité, des cancers du côlon, des maladies cardiovasculaires, du diabète et des lithiases (calculs) biliaires.

Augmentez graduellement votre consommation d'aliments riches en fibres. Hydratez-vous bien pour maximiser l'effet de régularité intestinale qu'apportent les fibres. Tous les végétaux entiers sont de bonnes sources de fibres. Les aliments d'origine animale n'en fournissent pas.

FRUITS

- Pomme, banane, cantaloup, cerise, pamplemousse, orange, pêche, poire, prunes, raisins, framboises et fraises.

LÉGUMES

- Asperges, haricots verts, brocoli, choux de Bruxelles, chou rouge, carotte, chou-fleur, maïs, chou frisé (kale), panais, pomme de terre, épinards, patate douce, courgette, jeunes pousses et germinations, céleri et tomate.

LÉGUMINEUSES

- Tous les aliments de cette famille sont les meilleures sources de fibres.
- Haricots secs, fèves, pois, lentilles, doliques, pois chiches et lupins.

GRAINES OLÉAGINEUSES

- Amandes, avelines, arachides, noix, macadamias, pacanes, cajous, pistaches, graines de lin, de sésame, de tournesol, de citrouille et noix de pin (pignons).

PRODUITS CÉRÉALIERS

- Son de blé, d'avoine, toutes les farines complètes, les pâtes alimentaires complètes et les céréales complètes (riz brun, sarrasin, avoine, etc.).

Principales sources
D'ENZYMES ALIMENTAIRES

Impliquées dans toutes les réactions biologiques, les enzymes maintiennent notre vitalité. Elles sont détruites par la chaleur de la cuisson et la congélation. Seuls les aliments frais ou lacto-fermentés en renferment, certains plus que d'autres. MANGEONS VIVANT !

FRUITS ET LÉGUMES

- Ananas, kiwi, papaye, figue fraîche, jeunes pousses et germinations, avocat, banane et prune uméboshi (japonaise).

ALIMENTS LACTO-FERMENTÉS

- Yogourt avec bactéries vivantes, kéfir, choucroute, jus et légumes lacto-fermentés, miso non pasteurisé, tempeh et vinaigre de cidre non pasteurisé.

VIANDE, POISSON, ŒUF

- Le bœuf cru (steak tartare), les poissons crus et l'œuf cru. Toutefois, il faut s'assurer de la provenance et de la qualité hygiénique des produits. (Attention aux bactéries E.coli, aux salmonelles, aux parasites, etc.).

Acides gras monoinsaturés (AGM)	Acides gras que l'organisme peut synthétiser. Les huiles riches en AGM sont semi-liquides au réfrigérateur et liquides à la température ambiante. Ex. : huile d'olive, de sésame. Principales sources : olive, avocat et graines oléagineuses.
Acides gras polyinsaturés (AGP)	Deux AGP ne peuvent être synthétisés par l'organisme et sont indispensables à la santé. Les huiles riches en AGP sont liquides à la température ambiante et au froid. Ex. : huiles de carthame, lin, chanvre, tournesol, oeillette et noix. Les huiles de poisson en renferment également.
Acides gras saturés (AGS)	Acides gras que l'organisme peut synthétiser. Les graisses riches en AGS sont solides à la température ambiante. Ex. : graisses animales, suif, beurre, fromage, certaines graisses végétales (coprah, palme, palmiste), margarine dure.
Beurre de noix	Désigne une purée de graines oléagineuses obtenue par simple broyage.
Graisse hydrogénée	Graisse qui a subi un traitement pour présenter une consistance semblable au beurre. L'hydrogénation est réalisée sous l'action de la chaleur, en présence de catalyseurs. Les graisses hydrogénées sont à éviter.
Légumineuses	Plantes dont le fruit est une gousse. Ex. : pois, haricots, lentilles, fèves, soya, etc. Les légumineuses sont riches en protéines, en glucides complexes et en fibres.
Oléagineux (ses)	Plantes dont on peut obtenir des matières grasses alimentaires. Ex. : noix, noisette, amande, pistache, noix de cajou, de macadamia, du Brésil, graines de lin, de sésame, de tournesol, etc.
Pain complet (France) **Pain de grains entiers (Québec)** **Pain intégral**	Pains obtenus à partir de farines non raffinées et non blanchies.

Petit lexique

DES MODES DE CUISSON

Bien qu'un grand nombre d'aliments se consomment idéalement crus, la cuisson rend plusieurs d'entre eux comestibles et plus savoureux. L'art de la cuisine est de savoir choisir le mode de cuisson le plus approprié pour chaque aliment.

CUISSON À L'ÉTOUFFÉE

Cuisson à chaleur douce, à couvert, avec peu de liquide ou uniquement dans l'eau de végétation rendue par cet aliment. Ce mode de cuisson s'applique en particulier à des légumes coupés finement (brunoises, juliennes) tels les oignons et échalotes ciselés, les tomates, les champignons et les courgettes ainsi qu'aux viandes et aux poissons à braiser.
La cuisson à l'étouffée des pommes et des poires donne d'excellentes purées ou compotes.
Excellente conservation de la valeur nutritive et de la saveur des aliments.

BRAISAGE

Cuisson à l'étouffée, dans un récipient clos, avec peu de liquide, longuement et à feu doux. Quand il s'agit de viande, le mets est appelé un braisé. Sont surtout braisés des aliments longs à cuire : viandes de deuxième et troisième catégories, certains légumes (choux, endives, artichauts), grosses volailles. Pour les viandes, la première opération consiste à les faire revenir dans un corps gras.

CUISSON AU FOUR

Cuisson à la chaleur sèche où la température varie selon l'aliment. On utilise le four pour la cuisson de certains légumes (pomme de terre, maïs en épis, oignons entiers, etc.), pour les viandes, poissons, volailles, gibiers, omelettes, certains fruits et, bien sûr, pour les pains et pâtisseries.
Bonne conservation de la valeur nutritive.

CUISSON À LA VAPEUR

Cuisson par la vapeur de l'eau portée à ébullition sans que l'aliment soit en contact avec l'eau. Il vaut mieux utiliser une casserole à étages plutôt qu'une « marguerite » dont les pattes sont trop courtes. Idéalement, le couvercle doit être bombé afin que l'eau de condensation ne retombe pas sur les aliments. À privilégier pour les légumes non biologiques, car les résidus de pesticides seront entraînés dans l'eau du récipient inférieur.
Bonne conservation de la valeur nutritive.

CUISSON À L'EAU

Excepté pour les céréales (incluant les pâtes) et les légumineuses, la cuisson dans une grande quantité d'eau n'est pas recommandable. Les légumes perdent une grande partie de leurs vitamines et minéraux.

Le POCHAGE est une variante pour les œufs, les poissons (court-bouillon), les crustacés et certains fruits. Il s'agit du meilleur mode de cuisson des œufs, à la coque ou mollets.

Les soupes et les potages sont des cuissons dans des bouillons assaisonnés et aromatisés. De plus, le liquide de cuisson, très nutritif, est consommé.

CUISSON AU BARBECUE – CHARBON DE BOIS

Au contact des braises, les gras fondus des viandes et poissons subissent une réaction (pyrolyse) qui provoque la formation de benzopyrène, une substance cancérigène. Les grillades marquées de traces de carbonisation renferment des dépôts de HAP (hydrocarbures aromatiques polycycliques – cancérigènes). Placez les aliments dans des papillotes pour les protéger.

FRITURE

Cuisson dans un bassin d'huile. Largement utilisée pour les pommes de terre frites, les oignons frits, le poulet et le poisson pané. L'aliment se gorge de gras chauffé. Bien que très apprécié pour la saveur, ce procédé ne présente que des désavantages nutritionnels et des dangers pour la santé.

POÊLAGE (SAISIR, FAIRE REVENIR, SAUTER, RISSOLER)

Cuire à bonne chaleur, dans un corps gras, avec ou sans enrobage, à découvert et sans liquide. On fait sauter, en remuant, des légumes, de petites pièces de viande, volaille, gibier ou poisson en se servant d'une poêle ou d'une sauteuse.

Les huiles d'olive et de sésame conviennent bien, mais ne jamais les faire fumer, car il y aurait alors production de substances cancérigènes.

MODES DE CUISSON ET ALIMENTS

ALIMENTS	À L'ÉTOUFFÉE	À LA VAPEUR	À L'EAU	AU FOUR	POÊLAGE À L'HUILE
Légumes	xxx	xx	x	xx	x
Fruits	xxx	xx	x	xx	
Céréales	xxx à cuisson rapide, après trempage	xxx	xxx pains x gratins		
Légumineuses	xxx lentilles, pois cassés, après trempage ou germination	xxx	xxx cuisson dans un liquide		
Viandes	xxx	xx	x	xx	x
Poissons	xxx	xx	x	xx	x
Crustacés			xx	x	
Mollusques		xx	x	x	
Œufs	xxx à la coque	x	x		

légende
x : acceptable
xx : bon
xxx : excellent

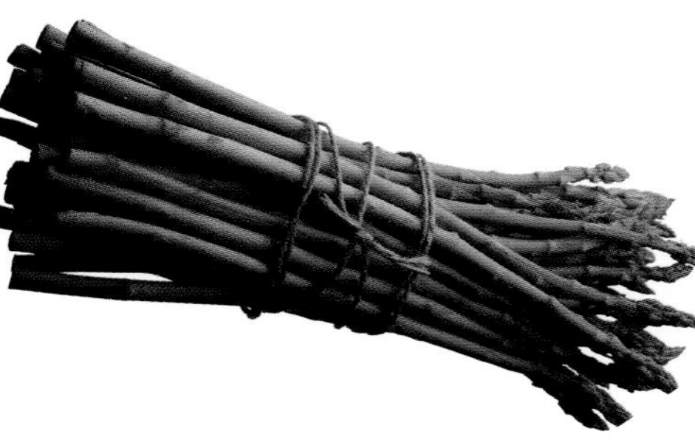

Bibliographie

CARPER, Jean,
Stop Aging Now,
Harper Collins, 1995.

CURTAY, Dr Jean-Paul,
La nutrithérapie,
Éditions Boiron, 1995.

DIAMOND, Marilyn & Dr Schnell, D.B.,
Fitonics for Life,
Éditions Flammarion, 1998 .

FRAPPIER, Renée et Danielle GOSSELIN,
Le guide des bons gras,
Éditions Maxam, 1999.

HERVÉ, Dr Robert,
La nouvelle diététique,
Éditions Artulen, 1992.

JOYEUX, Henri,
Changer l'alimentation,
Éditions Œil, 1989.

KUSHI, Michio,
Prévenir le cancer par l'alimentation,
Éditions Calmann-Lévy, 1988.

LAMBERT-LAGACÉ,
Louise et Michelle LAFLAMME,
Bons gras, mauvais gras,
Les Éditions de l'Homme, 1993.

LECERF, Dr Jean-Michel,
La nutrition,
Éditions Privat, 1996.

LE GOFF, Dr Lylian,
Nourrir la vie,
Éditions Roger Jollois, 1996.

MASSOL, Dr Michel,
La nutriprévention,
Éditions PUF, 1997.

MASSON, Robert,
La révolution diététique par l'eutynotrophie,
Éditions Albin Michel, 1986.

MINDELL, Earl,
Earl Mindell's Anti-Aging Bible,
A Fireside Book, 1996.

MOATTI, Dr Pierre,
Découvrez les bienfaits de la nutrithérapie,
Éditons Marabout, 1994.

PASSEBECQ, Dr André,
Votre santé par la diététique
et l'alimentation saine,
Éditons Dangles, 1976.

PFEIFFER, Dr Carl et Pierre GONTHIER,
Équilibre psychologique et oligo-éléments,
Éditions Debard, 1983.

RENAUD, Dr Serge,
Le régime santé,
Éditions Odile Jacob, 1996.

RODET, Jean-Claude,
Cours de nutrithérapie, 16 tomes,
Éditions LIRE, 1995-1999.

RUEFF, Dr Dominique et Dr Maurice NAHON,
La bible anti-âge,
Éditions Jouvence, 1998.

SEARS, Dr Barry et Bill Lawren,
Le juste milieu dans votre assiette,
Les Éditions de l'Homme, 1997.

SEARS, Dr Barry,
Mastering the Zone,
Harper Collins, 1997.

SEIGNALET, Dr Jean,
L'alimentation ou la 3e médecine,
Éditions F. X. de Guibert, 1996.

SIMONE, Dr B.
Cancer & Nutrition,
Avery, 1994.

WEIL, Dr Andrew,
Spontaneous Healing,
Fawcett Columbine, 1995.

WHITNEY, ROLFES,
Understanding Nutrition,
West, 1996.

WILLEM, Dr Jean-Pierre
Les secrets du régime crétois,
Édition du Dauphin, 1999.

Institut International de Ressources Écologiques,
Centre de documentation des alternatives,
nombreux ouvrages et documents.
Montréal (Québec) Canada

Journal of Medicinal Food,
Éditions MaryAnn Liebert, N.Y., États-Unis.

Table des matières